NOUS, PEUPLE DU QUÉBEC
Un projet de Constitution du Québec
est le troisième ouvrage publié aux Éditions du Québécois
et le premier dans la collection « Essais pour un Québec libre ».

COLLECTION « ESSAIS POUR UN QUÉBEC LIBRE »

La collection d'essais des Éditions du Québécois vise à donner aux intellectuels d'ici l'occasion de participer aux débats liés à la question nationale du Québec. La publication de tels ouvrages se veut une tentative d'alimenter la réflexion sur la nécessité de l'indépendance du Québec tout en posant un regard critique sur le chemin parcouru, à parcourir et sur notre situation nationale. Il s'agit de favoriser le débat d'idées dans le long combat que mène le peuple québécois pour son indépendance et d'en favoriser l'issue victorieuse.

Les Éditions du Québécois bénéficient pour leurs activités du seul soutien des militantes et militants indépendantistes qui supportent cette œuvre. Qu'ils soient ici remerciés. À ce sujet, remerciements particuliers au journal *Le Québécois*, partenaire privilégié des Éditions du Québécois.

24,95$
2006/01

DANIEL TURP

NOUS, PEUPLE DU QUÉBEC
Un projet de Constitution du Québec

DU MÊME AUTEUR

Le droit de choisir : Essais sur le droit du Québec à disposer de lui-même/The Right to Choose : Essays of Québec's Right to Self-Determination, Montréal, Éditions Thémis, 2001, 996 p.

La nation bâillonnée : le plan B ou l'offensive d'Ottawa contre le Québec, Montréal, VLB éditeur, 2000, 220 p.

L'avant-projet de Loi sur la souveraineté, Cowansville, Les Éditions Yvon Blais, 1995, 249 p.

L'accession à la souveraineté et le cas du Québec : conditions et modalités politico-juridiques, 2e éd. (avec supplément), Montréal, PUM, 1995, 853 p. (avec Jacques Brossard).

NOUS, PEUPLE DU QUÉBEC
Un projet de Constitution du Québec

Éditions du Québécois
2572, rue Des Plaines
Québec (Sainte-Foy), Québec
G1V 1B3

Tél. : (418) 651-9493

www.lequebecois.org

Montage de la couverture : Simon Nolet
Photographie de la couverture : Catherine Turp

Données de catalogage avant publication :

Turp, Daniel
Nous, peuple du Québec - Un projet de Constitution du Québec.

Autonomie et mouvements indépendantistes, Constitution, Droit constitutionnel, Histoire constitutionnelle, Mouvement indépendantiste, Québec, Souveraineté

Distributeur :

DLL Presse Diffusion
1650, boulevard Lionel-Bertrand
Boisbriand, Québec
J7H 1N7
(450) 434-4350
www.dllpresse.com

ISBN 2-923365-01-1

Dépôt légal – Bibliothèque nationale du Québec, 2005
Dépôt légal – Bibliothèque et Archives Canada, 2005

À mon collègue et ami Jacques-Yvan Morin,
qui m'a donné le goût de la constitution.

PLAN

PRÉFACE

Un démocrate engagé

J'ai eu l'occasion de travailler de nombreuses années avec Daniel Turp au sein du Bloc Québécois et je partage maintenant avec lui la responsabilité d'œuvrer au sein de la même communauté, puisque nos circonscriptions électorales se chevauchent. Cela m'aura permis d'apprécier les profondes convictions démocratiques de cet homme. Pour ceux qui chercheraient le fil conducteur dans la vie publique de Daniel Turp, je leur suggère fortement de chercher du côté de la démocratie.

Il ne faut pas s'arrêter aux dehors paisibles et courtois et sous-estimer la force qui l'anime si l'on veut comprendre l'homme. Il n'abandonne jamais la tâche qu'il s'est imposée. En témoigne ce texte sur l'élaboration d'une constitution du Québec qui fait suite à de nombreux travaux et initiatives en ce sens. Ce travail est l'aboutissement d'une longue réflexion.

Bien sûr, nous y retrouvons la science du constitutionnaliste, mais aussi et surtout celle de l'acteur politique. Car proposer une constitution du Québec, c'est vouloir réparer l'accroc démocratique qui fait, qu'encore aujourd'hui, le Québec est soumis à un régime constitutionnel qu'il réprouve.

Comme porte-parole du Bloc Québécois en matière d'Affaires étrangères, puis pour les Affaires intergouvernementales, Daniel s'est fait l'avocat du peuple québécois et il a défendu la démocratie québécoise contre les assauts du gouvernement fédéral. Comme toujours, il a su le faire élégamment et avec courtoisie, mais aussi avec toute l'autorité que lui permettait sa connaissance approfondie du droit international et constitutionnel.

C'est d'ailleurs cette autorité en matière internationale qui l'a mené à lancer un débat sur la démocratisation de la politique étrangère à la Chambre des communes. En effet, au Canada les représentants élus ne peuvent voter sur les traités internationaux.

Daniel Turp a maintenant quitté le Bloc Québécois et il continue son travail de démocrate engagé au Parti Québécois.

Avec cet ouvrage qui dessine les contours d'une constitution, les Québécoises et les Québécois disposent d'une référence solide à partir de laquelle ils pourront débattre de ce que sera la Constitution du Québec souverain.

Les années passant, il apparaît évident aujourd'hui que les souverainistes, en misant constamment sur la démocratie, ont multiplié les gains. Nous devons persister dans cette voie et nous assurer en tout temps que la démarche souverainiste demeure irréprochable au plan démocratique. Cela implique entre autres que les Québécoises et les Québécois doivent pouvoir se prononcer sur la question même de la souveraineté au moyen d'un référendum.

2005 marquera le 25e anniversaire du référendum de 1980 et le 10e du référendum de 1995. Ces deux référendums constituent des jalons importants dans la longue marche du Québec vers la liberté politique. Ce furent des exercices démocratiques qui ont fait grandir le Québec. En 1995, le Québec était mieux préparé qu'en 1980 et j'ai la profonde conviction qu'en 2005, le Québec est encore mieux préparé à accéder à la liberté politique qu'il ne l'était en 1995.

Je terminerai cette préface en soulignant que ce ne sont pas seulement les souverainistes qui doivent se réjouir de compter Daniel Turp parmi les leurs. C'est en fait le monde politique et toute la société québécoise qui doit s'en réjouir. Cet homme, en élevant le débat politique et en se cantonnant scrupuleusement dans le cadre démocratique, nous fait tous progresser.

Ce projet de constitution n'est pas une œuvre destinée aux constitutionnalistes et autres experts, mais plutôt aux Québécoises et aux Québécois de toutes les régions, de toutes origines et de tous âges. Ce que Daniel Turp nous propose, c'est simplement d'encadrer cette volonté qui a guidé la longue marche du Québec depuis plusieurs siècles : notre volonté de vivre ensemble.

Gilles Duceppe
Le Chef du Bloc Québécois

INTRODUCTION

Constitution. Le mot a perdu au Québec ses lettres de noblesse. D'aucuns diraient qu'il est honni. « On ne veut pas entendre parler de constitution », entend-on souvent au Québec. « Les débats constitutionnels, c'est juste des chicanes », déplorent d'autres citoyens d'ici. « La constitution, c'est compliqué, je n'y comprends rien ». « La constitution, c'est une affaire de spécialistes et ils nous mélangent avec leurs explications »!

Pourquoi les Québécoises et les Québécois en sont-ils venus à décrier ainsi les débats constitutionnels et à déconsidérer la constitution?

Sans doute peut-on attribuer une telle attitude d'abord et avant tout aux échecs qu'a subis le Québec sur le front constitutionnel depuis 1867. Depuis le *Maître chez nous* de Jean Lesage, la constitution du Canada n'a pas été modifiée dans le sens des revendications du Québec. Tout au contraire, lorsqu'elle a été modifiée de façon importante en 1982, les modifications ont été non seulement adoptées sans l'assentiment du Parlement, du gouvernement et du peuple du Québec, mais elles ont porté sur des questions qui n'étaient pas considérées par le Québec comme des priorités. Elles visaient à inclure dans la constitution du Canada une charte des droits et libertés et à rapatrier la constitution en prévoyant une procédure de modification, plutôt que de reconnaître la dualité du Canada et réaménager le partage des compétences comme le souhaitait le Québec depuis des décennies.

Le rapatriement unilatéral de 1982 a d'ailleurs eu pour effet d'affecter les compétences du Québec dans des domaines aussi névralgiques que la langue et l'éducation. On tend à oublier que des dispositions de la constitution du Canada, adoptées par le Parlement du Royaume-Uni à la demande du Parlement du Canada et des assemblées législatives de neuf provinces canadiennes, ont abrogé de façon implicite des articles d'une loi fondamentale adoptée par l'Assemblée nationale du Québec pour promouvoir et protéger la langue française au Québec. Dans une démocratie fondée sur le constitutionnalisme, rares, voire inexistants, sont les exemples où une loi constitutionnelle a été imposée à une partie si importante du corps politique.

L'adoption, sans l'assentiment du Québec, d'importantes modifications à la constitution du Canada n'est toutefois pas le seul échec que les Québécoises et les Québécois ont eu à subir. La volonté de réconcilier le Québec avec le reste du Canada et de le faire dans l'honneur et l'enthousiasme s'est également heurtée à des objections qui ont été à l'origine de nouveaux échecs constitutionnels. Ainsi, du lac Meech à Charlottetown, les débats constitutionnels démontrent le refus de reconnaître le Québec comme société distincte et l'insuffisance des mesures visant à donner effet à son statut de société distincte au sein du Canada. Ces deux épisodes de l'histoire constitutionnelle canadienne ont comme résultat d'écarter les revendications constitutionnelles historiques du Québec et de démontrer l'impossibilité de mener à terme des négociations constitutionnelles.

Peut-on attribuer également l'antipathie constitutionnelle des Québécoises et des Québécois à la complexité de la chose constitutionnelle? En vérité, cette chose a été rendue plus complexe qu'elle ne l'est en réalité. Les personnes qui ont animé le débat constitutionnel durant les dernières décennies n'ont guère contribué à la compréhension des enjeux constitutionnels en négociant le plus souvent derrière des portes closes et en adoptant des textes dont la nature technique était loin de favoriser une telle compréhension. On n'oubliera jamais ce moment sublime des débats constitutionnels où un célébrissime joueur de hockey a confondu le droit de veto et le droit de vote. Cette bourde illustre ainsi le fait que le débat constitutionnel se focalise souvent sur des questions de plomberie constitutionnelle plutôt que de porter sur des valeurs et principes fondamentaux.

Une constitution est pourtant d'abord et avant tout un document visant à établir les fondements sur lesquels repose la vie d'une nation. Elle est « l'âme de la cité », comme l'écrivait le philosophe grec Isocrate dans son *Aéropagitique*. C'est d'ailleurs la raison pour laquelle elle est parfois dénommée, comme c'est le cas en Allemagne, « loi fondamentale ». Une constitution doit ainsi être le miroir d'une société humaine et le reflet fidèle d'une communauté politique. Elle décrit les valeurs sur lesquelles repose le contrat social et énonce les principes qui guident les institutions dans l'application de ce contrat. Le reste du texte constitutionnel doit dès lors être au service de ses valeurs et de ses principes et ne pas leur porter ombrage.

D'ailleurs, un document constitutionnel ne doit pas nécessairement être complexe. Sa structure peut être fort simple; celle de plusieurs États, dont celle des États-Unis d'Amérique, l'est en définitive. Elle comprend un *préambule*, qui contient parfois un récit fondateur qui rappelle les conditions d'émergence de l'État, un *énoncé de valeurs et de principes* et une *description des symboles nationaux*. Elle comprend une partie sur les *institutions* parlementaires, gouvernementales et judiciaires décrivant leurs compétences et présentant les règles générales régissant leur fonctionnement. On retrouve souvent dans une constitution une partie sur les *relations internationales* de l'État pour aménager les rôles et responsabilités des institutions et citoyens dans ce domaine névralgique et aménager les rapports entre le droit international et le droit interne. Les normes relatives à la révision de la constitution font également l'objet d'une partie distincte et prévoient le rôle respectif du Parlement et du peuple relativement à l'initiative et à l'approbation des modifications constitutionnelles. Les constitutions contemporaines ont également eu tendance à incorporer en leur sein un catalogue des *droits fondamentaux* et de prévoir des mécanismes de contrôle de la conformité des lois et autres règles de droit à de tels droits fondamentaux.

Dans cette perspective, ne nous appartient-il pas de réhabiliter la constitution et de nous engager dans une démarche visant à donner aux Québécoises et aux Québécois le goût de la constitution? Le défi peut paraître impossible en raison de l'apathie constitutionnelle. Une telle démarche sera couronnée de succès si elle est relative à l'adoption d'une constitution québécoise plutôt que la réforme de la constitution canadienne. On s'entend aujourd'hui pour dire que la constitution du Canada est irréformable. Les procédures qui régissent la modification de celle-ci confèrent au Parlement du Canada et aux législatures des autres provinces les moyens pour refuser toute modification constitutionnelle initiée par le Québec, comme l'ont prouvé éloquemment les épisodes du lac Meech et de Charlottetown.

Et, comme si cela ne suffisait pas, le Parlement du Canada a verrouillé la *Constitution du Canada*[1] en adoptant en 1996 la *Loi concernant les modifications constitutionnelles*[2]. Cette loi consacre de façon indirecte un droit de veto à l'Ontario, à la Colombie-Britannique, à au moins deux des provinces de l'Atlantique, pourvu que la population confondue des provinces consentantes représente, selon le recensement général le plus récent, au moins 50 % de la population des provinces de l'Atlantique et au moins deux des provinces des Prairies, pourvu que la population confondue des provinces consentantes représente, selon le recensement général le plus récent, au moins 50 % de la population des provinces des Prairies. Pierre Elliott Trudeau ne doit pas être peu fier de son œuvre, lui qui avait d'ailleurs laissé entendre qu'avec sa *Loi constitutionnelle de 1982*, « la fédération allait pouvoir durer mille ans[3] »!

Aujourd'hui, même les partis fédéralistes du Québec admettent que la constitution canadienne est irréformable. Ainsi, dans le rapport final du Comité spécial sur l'avenir politique et constitutionnel de la société québécoise, le Parti libéral du Québec repousse toute tentative de la modifier et propose ainsi que soient conclues des ententes administratives entre le Québec et le Canada, notamment en matière de communications, d'environnement et de relations internationales. Il s'abstient toutefois de proposer formellement l'adoption d'une constitution québécoise, mais énonce dans ce projet l'idée de procéder à « une mise à jour ou à une consolidation des principes tirés ou inspirés de certains documents constitutionnels, législatifs et jurisprudentiels jugés fondamentaux pour la société québécoise[4] ».

Après avoir formulé une proposition de paix constitutionnelle[5], l'Action démocratique du Québec choisit quant à elle de décréter un moratoire de dix ans sur le débat constitutionnel et constate ainsi l'impasse dans laquelle se trouve le Québec au plan constitutionnel. En février 2001, cette proposition de moratoire est remplacée par l'idée de faire adopter une *Charte du Québec* visant à définir non seulement « nos objectifs et nos valeurs communes mais également les droits et responsabilités des citoyens[6] ». Cette *Charte du Québec* se transforme en *Constitution du Québec* dans la nouvelle position constitutionnelle de l'Action démocratique rendue publique en octobre 2004[7].

Alors que le Parti libéral inscrit son éventuelle consolidation de principes jugés fondamentaux dans une perspective résolument canadienne et que l'Action démocratique du Québec inscrit aussi en définitive sa proposition endossant le principe d'adoption d'une nouvelle constitution du Québec dans le cadre constitutionnel canadien, les autres formations politiques du Québec souhaitent l'adoption d'une constitution pour un Québec souverain.

En vue du congrès de juin 2005, les membres au Parti Québécois sont saisis d'un projet de programme de pays où il est proposé que soit adoptée une constitution du Québec et que l'adoption d'une telle constitution joue un rôle déterminant dans le processus d'accession à la souveraineté[8]. L'Union des forces progressistes (UFP) propose quant à elle que le Québec « organise l'élection d'une assemblée constituante chargée de rédiger et de proposer au peuple, par référendum, une Constitution pour un Québec progressiste, républicain et démocratique[9] ».

Les partis politiques ne sont d'ailleurs pas les seuls à faire dorénavant la promotion de l'adoption d'une constitution québécoise. Voulant donner suite aux recommandations des États généraux sur la réforme des institutions démocratiques à l'occasion desquels 82 % des participants ont appuyé l'idée de doter le Québec de sa propre constitution[10], des interventions favorables à l'adoption d'une constitution du Québec ont émané de personnes aussi diverses que l'ancien président de l'Action démocratique du Québec[11], des représentants de la communauté anglophone du Québec[12], d'un stagiaire de la Fondation Jean-Charles-Bonenfant[13] et d'un membre du cercle Godin-Miron[14]. Le Mouvement démocratie et citoyenneté du Québec a adopté le 27 septembre 2004 une résolution prônant la tenue d'une assemblée citoyenne en juin 2006 et l'adoption d'une constitution pour les Québécoises et les Québécois.

Dans le présent essai, je me propose d'approfondir la réflexion sur la constitution du Québec et d'expliciter la démarche visant à doter le Québec de sa propre constitution. J'entends faire fond sur cette volonté de plus en plus affirmée de doter le Québec de sa propre constitution. L'ambition de l'essai est de susciter un intérêt pour l'adoption d'une constitution du Québec et d'alimenter les débats qui se multiplient au sein des partis et mouvements politiques à ce sujet. À cette fin, l'essai situe le projet dans une perspective historique et présente ainsi l'idée d'une constitution du Québec dans l'histoire nationale (Première partie). L'essai propose ensuite d'examiner le rôle d'une constitution du Québec dans le débat national et présente des projets de *Constitution initiale* et de *Constitution nationale* pour le Québec (Deuxième partie).

PREMIÈRE PARTIE

NOUS, PEUPLE DU QUÉBEC : DE L'IDÉE D'UNE CONSTITUTION DU QUÉBEC DANS L'HISTOIRE NATIONALE

L'idée d'une constitution québécoise germe depuis plusieurs années dans les cercles politiques et intellectuels du Québec. Mais, il n'est pas inintéressant d'inscrire cette idée dans l'histoire nationale et de se demander si le Québec a déjà été régi par sa propre constitution. Pour répondre à cette question, il faut définir ce qu'est une constitution et le sens que l'on donne aujourd'hui à cette expression.

Dans son étude sur l'évolution constitutionnelle du Canada et du Québec de 1534 à 1867, le professeur Jacques-Yvan Morin définit la constitution en ces termes :

> Par constitution, on entend donc, selon une définition classique, l'ensemble des règles suivant lesquelles s'établit, s'exerce et se transmet l'autorité politique dans une société, auxquelles s'ajouteront les droits et libertés fondamentaux. Ces règles sont d'origine et de nature très diverses : coutumes, lois fondamentales ou ordinaires, décrets, conventions constitutionnelles, instructions des gouvernements métropolitains et décisions judiciaires[15].

Cette définition classique est celle qui correspond à ce que les constitutionnalistes décrivent comme la constitution matérielle d'un État. À la constitution matérielle, on oppose aussi la constitution formelle en référant à l'instrument solennel, sous forme écrite, dans lequel sont consignées les règles constitutionnelles auxquelles on veut conférer une importance et un statut particuliers. À cet égard, la constitution formelle peut être un instrument consigné dans un document unique, comme c'est le cas en France, mais il peut se retrouver dans plusieurs documents qui forment ensemble la constitution formelle comme c'est le cas au Canada où plusieurs lois constitutionnelles, et notamment la *Loi constitutionnelle de 1867* et la *Loi constitutionnelle de 1982*, forment la constitution du Canada.

Le Québec a une constitution matérielle et des règles de nature constitutionnelle régissant les institutions ainsi que les citoyens du Québec depuis toujours. En revanche, le Québec n'a jamais eu de constitution formelle dans le cours de son histoire nationale. Une exégèse historique permet de comprendre le cours de l'histoire constitutionnelle du Québec. Elle tend à révéler la déchéance de la constitution du Canada (Chapitre 1) et l'émergence d'une constitution du Québec (Chapitre 2).

CHAPITRE 1

LA DÉCHÉANCE DE LA CONSTITUTION DU CANADA : DU *QUEBEC ACT, 1774* AU *CANADA ACT, 1982*

L'histoire nationale du Québec peut se décliner en une série de périodes durant lesquelles des règles constitutionnelles se sont appliquées au territoire qui est aujourd'hui celui du Québec. Dans cette perspective, on peut assurément prétendre que le territoire de la Nouvelle-France a vécu sous l'empire d'une constitution par laquelle s'est établie, exercée et transmise l'autorité politique entre l'arrivée de Jacques Cartier et la Conquête. De la *Commission de François 1er à Jacques Cartier pour l'établissement du Canada du 17 octobre 1540* à l'*Ordonnance criminelle* de 1670, en passant par l'*Arrest du 27 mars 1647 portant règlement concernant les habitans du païs de Canada* et l'*Édit de création du Conseil souverain de Nouvelle-France* de 1663, l'on constate que des instruments ont créé des institutions pour la colonie et ont décrit leurs règles de fonctionnement. Ces instruments ont reconnu également des droits aux « habitans » et leur imposaient des devoirs. Ces instruments sont d'ailleurs décrits collectivement par le professeur Morin comme la *Constitution de la Nouvelle-France*[16].

Cette *Constitution de la Nouvelle-France* sera rendue caduque par la conquête britannique en 1759 et les règles de cette constitution cesseront de s'appliquer au moment où les articles de capitulation de Québec et de Montréal prendront effet[17]. Le *Traité de Paris* du 10 février 1763 concrétisera la fin du régime français et contiendra, comme les articles de capitulation, des règles visant à reconnaître des droits aux habitants de la nouvelle colonie britannique, telle la liberté de la religion catholique[18].

Ces premiers éléments de la nouvelle constitution matérielle sont complétés par les premières règles visant à l'organisation politique contenues d'abord dans la *Proclamation royale de 1763*. Ainsi, cette proclamation établit un gouvernement séparé et distinct pour le Québec, le gouvernement de Québec. Elle décrit les frontières du Québec, autorise la tenue d'assemblées générales et confère au gouverneur le pouvoir de décréter ainsi que de sanctionner des lois, statuts et des ordonnances publiques pour assurer la paix publique, le bon ordre ainsi que le bon gouvernement. Elle donne également le pouvoir au gouverneur de créer des tribunaux civils et des cours de justice publique qui garantissent aux habitants la liberté d'en appeler des jugements rendus par lesdites cours[19].

Adressées au gouverneur en chef de la province de Québec, James Murray, et connues surtout pour leurs dispositions imposant les serments d'allégeance et le serment du test, les *Instructions de 1763* contiennent également des règles qui complètent l'organisation de la colonie et confirment des droits civils aux habitants de la nouvelle province. Ainsi, le siège principal du gouvernement est établi à Québec, le gouverneur en chef est investi du pouvoir de nommer ainsi que de désigner un conseil pour l'assister dans la direction du gouvernement. Il y est prescrit la convocation d'une assemblée générale des franc-tenanciers. Il appartient au gouverneur, au Conseil et à l'Assemblée seuls, et à nul autre, de décréter les lois, statuts et ordonnances. Il y est confirmé la liberté de pratiquer la religion catholique accordée par le *Traité de Paris* et le gouverneur est instruit de se conformer « avec la plus grande exactitude en tout ce qui concerne ces habitants aux stipulations du dit traité à cet égard[20] ».

Ces premiers éléments d'une constitution apparaissent ainsi aux lendemains d'une conquête dont les irritants amènent les autorités coloniales à rectifier le tir et à faire adopter des lois qui tenteront de susciter une plus grande allégeance des habitants de la province de Québec au régime britannique. Cette allégeance n'est jamais véritablement acquise et la suite de l'histoire nationale du Québec est caractérisée par une série de tentatives d'apaisements et d'arnaques constitutionnels. Ainsi, on assistera à une dérive des premières constitutions du Canada (Section 1) et au refus de la constitution du Canada (Section 2).

Section 1

La dérive des constitutions des Canadas : du *Quebec Act, 1774* à l'*Union Act, 1840*

15 ans après la Conquête, la situation dans la province de Québec s'est à ce point détériorée que le gouvernement d'Angleterre croit nécessaire de modifier de façon significative l'organisation de sa colonie. Une révolution américaine appréhendée semble également expliquer la nouvelle empathie de la métropole britannique à l'égard de ses sujets du Québec. Ainsi, sa très excellente Majesté le Roi, de l'avis et du consentement des Lords spirituels et des communes, adopte le *Quebec Act, 1774*[21].

Adopté le 22 juin 1774 et entré en vigueur le 1er mai 1775, l'*Acte de Québec* est dans l'histoire l'instrument qui se rapproche le plus de l'idée que l'on se fait d'une constitution du Québec. D'ailleurs, cette nouvelle constitution semble vouloir se substituer, tout en la continuant, à la « constitution stable » sous l'empire de laquelle vivaient les habitants à l'époque de la conquête. Ainsi, l'*Acte de Québec* prévoit-il :

> Et considérant que les dispositions énoncées dans ladite proclamation au sujet du gouvernement civil de la province de Québec et que les pouvoirs et autorités déférés au gouverneur et aux autres officiers civils de ladite province, en vertu de concessions et de commissions et à cette fin, ont été par expérience trouvés incompatibles avec l'état et les circonstances où se trouvait ladite province dont les habitants à l'époque de la conquête, formaient une population de soixante-cinq mille personnes professant la religion de l'Église de Rome et jouissant d'une forme de *constitution* et d'un système de lois, par lesquelles leurs personnes et leurs propriétés avaient été protégées, gouvernées et régies pendant de longues années, depuis le premier établissement de la province du Canada [...][22].

Ne s'appliquant qu'à la province de Québec, cette loi du Parlement britannique révoque, annule et déclare de nul effet la *Proclamation royale de 1763* ainsi que toutes et chacune des ordonnances rendues par le gouverneur et le Conseil de Québec en exercice. Elle dote ainsi la province de Québec d'une nouvelle constitution qui modifie substantiellement la précédente. Ainsi, le droit civil français est-il rétabli puisqu'« à l'égard de toute contestation relative à la propriété et aux droits civils, l'on aura recours aux lois du Canada comme règle pour décider à leur sujet et que toutes les causes concernant la propriété et les droits susdits, qui seront portés par la suite devant quelqu'une des cours de justice qui doivent être établies dans et pour ladite province, par Sa Majesté, ses héritiers et successeurs, y seront jugés conformément auxdites lois et coutumes du Canada [...][23] ». Cette nouvelle constitution maintient toutefois en vigueur les lois criminelles d'Angleterre et crée dans la province de Québec un régime de droit mixte qui caractérise encore aujourd'hui l'ordre juridique applicable au Québec.

S'agissant de l'autorité politique, l'*Acte de Québec* établit et institue un Conseil pour l'administration des affaires de la province de Québec. Il lui est attribué le pouvoir et l'autorité de rendre des ordonnances pour la paix, le bien-être et le gouvernement de ladite province, avec le consentement du gouverneur de Sa Majesté. Ce Conseil « législatif » n'a toutefois pas l'autorité et le pouvoir d'imposer des taxes et des droits.

L'*Acte de Québec* demeure par ailleurs une constitution inachevée puisqu'il n'institue pas une assemblée élue. Cette décision est justifiée par la nécessité de mettre plusieurs règlements pour le bien-être futur et le bon gouvernement de la province de Québec et d'éviter tout retard et toute difficulté à ce sujet. Il est ainsi décidé qu'« il n'est pas opportun de [convoquer] une assemblée[24] ».

Une telle assemblée ne sera instituée qu'en 1791[25]. L'*Acte constitutionnel* met fin à l'existence de la province de Québec et divise celle-ci en deux provinces distinctes : la province du Bas-Canada et la province du Haut-Canada. Le Québec n'a donc plus sa propre constitution puisque l'*Acte constitutionnel* établit une seule constitution pour deux provinces. Son objet essentiel sera d'autoriser l'élection d'une chambre d'assemblée et de conférer à celle-ci le pouvoir d'adopter, avec le Conseil législatif, « des lois pour la paix, le bien et le bon gouvernement[26] ». Les lois adoptées par le Conseil et l'Assemblée du Bas-Canada, comme du Haut-Canada, sont toutefois assujetties à la sanction du gouvernement impérial et doivent être compatibles avec l'*Acte constitutionnel.*

Bien qu'il soit à l'origine du parlementarisme québécois tel qu'on le connaît, l'*Acte constitutionnel* ne semble pas satisfaire les habitants du Bas-Canada qui réclament des modifications importantes à celui-ci. Dans ses 92 résolutions, l'Assemblée législative du Bas-Canada se livre en 1834 à un réquisitoire contre le Conseil législatif dont il affirme qu'il est « la défectuosité la plus sérieuse de l'*Acte constitutionnel*, son vice radical, le principe le plus actif de mal et de mécontentement dans la province; la cause la plus forte et la plus fréquente d'abus de pouvoir[27] ». Évoquant l'expérience étrangère, il réclame en ces termes une nouvelle constitution :

> 43. Résolu, Que la *Constitution* et la forme de gouvernement qui conviendrait le mieux à cette colonie, ne doivent pas se chercher uniquement dans les analogies que présentent les institutions de la Grande-Bretagne dans un état société tout à fait différent du nôtre; qu'on devrait mettre à profit l'observation des effets, qu'ont produits les différentes *constitutions* infiniment variées, que les Rois et le Parlement anglais ont données à différentes Plantations et Colonies en Amérique, et des modifications que des hommes vertueux et éclairés ont fait subir à ces institutions coloniales, quand ils ont pu le faire avec l'assentiment des parties intéressées[28].

Et l'assemblée n'hésite pas à ajouter :

> 47. Résolu, Que la fidélité des Peuples et la protection des gouvernements sont des obligations corrélatives, dont l'une ne saurait longtemps subsister sans l'autre; que par suite des défectuosités qui se trouvent dans les lois et les *constitutions* de cette province, et de la manière dont ces lois et *constitutions* ont été administrées, le Peuple de cette province n'est pas suffisamment protégé dans sa vie, ses biens et son honneur; et que la longue suite d'actes d'injustice et d'oppression dont il a à se plaindre, s'est accrue en violence et en

> nombre avec une rapidité alarmante sous la présente administration[29].

Le refus d'entendre les griefs formulés par l'assemblée et de donner suite aux revendications entraîne la rébellion des Patriotes en 1837 et 1838. Ceux-ci cherchent à renverser l'ordre constitutionnel établi et à proclamer l'indépendance du Bas-Canada. Il est intéressant de noter qu'en regard de l'idée de la constitution, la *Déclaration d'indépendance de la République du Bas-Canada* comporte une disposition dans laquelle il est déclaré solennellement :

> 15. Que dans le plus court délai possible, le peuple choisisse des délégués, suivant la présente division du pays en comtés, villes et bourgs, lesquels formeront une convention ou corps législatif pour formuler une *constitution* suivant les besoins du pays, conforme aux dispositions de cette déclaration, sujette à être modifiée suivant la volonté du peuple[30].

Ainsi, les Patriotes s'entendent-ils non seulement sur l'idée de doter leur nouveau pays d'une constitution, mais ils proposent qu'une assemblée constituante soit instituée à cette fin. Le contenu de cette constitution est annoncé dans la déclaration d'indépendance, mais semble devoir être dicté d'abord et avant tout par la volonté du peuple.

Une telle répudiation de l'ordre constitutionnel n'est guère acceptable pour le pouvoir impérial. L'*Acte constitutionnel* est suspendu et un Conseil spécial pour les affaires du Bas-Canada est créé. Les soulèvements se multiplient, mais la rébellion est vite écrasée et les Patriotes sont pendus ou déportés. Pour colmater les brèches et préparer l'après-rébellion, le gouvernement britannique confie à Lord Durham le soin de formuler des recommandations sur l'avenir des deux Canadas. Dans son fameux rapport, Lord Durham n'hésite pas à promouvoir l'assimilation des habitants du Bas-Canada et il n'est pas inutile de rappeler ses propos :

> Et cette nationalité canadienne-française, devrions-nous la perpétuer pour le seul avantage de ce peuple, même si nous le pouvions? Je ne connais pas de dis-

> tinctions nationales qui marquent et continuent une infériorité plus irrémédiable. La langue, les lois et le caractère du continent nord-américain sont anglais. Toute autre race que la race anglaise (j'applique cela à tous ceux qui parlent anglais) y apparaît dans un état d'infériorité. C'est pour les tirer de cette infériorité que je veux donner aux Canadiens notre caractère anglais. [...]
>
> On ne peut guère concevoir nationalité plus dépourvue de tout ce qui peut vivifier et élever un peuple que les descendants des Français dans le Bas-Canada, du fait qu'ils ont gardé leur langue et leurs coutumes particulières. C'est un peuple sans histoire et sans littérature. [...]
>
> La tranquillité ne peut revenir, je crois, qu'à la condition de soumettre la province au régime vigoureux d'une majorité anglaise; et le seul gouvernement efficace serait celui d'une Union législative. [...]
>
> Si l'on estime exactement la population du Haut-Canada à 400.000 âmes, les Anglais du Bas-Canada à 150.000 et les Français à 450.000, l'union des deux provinces ne donnerait pas seulement une majorité nettement anglaise, mais une majorité accrue annuellement par une immigration anglaise; et je ne doute guère que les Français, une fois placés en minorité par suite du cours naturel des événements abandonneraient leurs vaines espérances de nationalité. [...]
>
> Le caractère national qui doit être donné au Bas-Canada [...] doit être celui de l'Empire britannique [...], celui de la race supérieure qui doit à une époque prochaine dominer sur tout le continent de l'Amérique du Nord. Pour parvenir à cette fin, il faut confier le gouvernement à une assemblée décidément anglaise[31].

Cette solution se traduit au plan constitutionnel par l'union du Bas-Canada et du Haut-Canada, et l'adoption de l'*Union Act, 1840*[32]. Cet *Acte d'Union* autorise le gouverneur général des deux provinces du Haut et du Bas-Canada à déclarer par proclamation que lesdites provinces formeront et constitueront une seule et même province, sous le nom de province du

Canada. Et l'« assemblée anglaise » sera l'Assemblée législative du Canada, composée d'un nombre égal de représentants en dépit du fait que la population du Bas-Canada est de 650 000 âmes et celle du Haut-Canada de 450 000.

De même, la volonté d'assimilation des habitants du Bas-Canada se traduit par le fait que les travaux et les documents du Conseil législatif et de l'Assemblée législative seront dans la langue anglaise seulement. La nouvelle constitution de la province du Canada répartit les pouvoirs entre ces institutions provinciales et les institutions britanniques et ces dernières continuent de détenir le pouvoir de sanctionner les lois, mais également de les réserver. Un pouvoir de taxation sera dorénavant reconnu à la province du Canada, mais le Royaume-Uni conservera toujours le pouvoir ultime en cette matière également. L'imposition au Bas-Canada de l'union avec le Haut-Canada est combattue avec férocité et l'Assemblée législative est le théâtre d'affrontements visant à réinstituer au Bas-Canada les institutions dont l'*Acte d'Union* l'a privé.

De l'*Acte de Québec* à l'*Acte d'Union*, on assiste ainsi à la dérive des premières constitutions applicables aux habitants qui forment aujourd'hui le Québec. Si l'*Acte de Québec* peut être vu comme un instrument accommodant les Français de la province de Québec et qu'il reçoit de la sorte leur assentiment, l'*Acte constitutionnel* constitue un premier pas pour englober ceux-ci dans un tout constitutionnel canadien et pour réduire leur influence et leur poids dans les institutions mises en place pour gouverner la colonie. L'ambition réductrice atteint son apogée avec l'adoption de l'*Acte d'Union* dont les visées assimilatrices ne sont même pas dissimulées et qui cherchent à oblitérer l'identité française et les institutions propres à la majorité francophone du territoire du Bas-Canada.

Devant la levée de boucliers que suscite l'*Acte d'Union*, l'on assiste à des tentatives de réparer l'édifice constitutionnel et doter le Canada d'un nouvel ordre constitutionnel. Ainsi, en 1848, les dispositions de l'*Acte d'Union* faisant de la langue anglaise la seule langue d'usage des institutions législatives de la province du Canada sont abrogées. Durant la même année, le gouvernement britannique consent à ce que le gouvernement soit responsable devant l'Assemblée législative. Ces efforts ne suffiront toutefois pas et un mouvement se dessine pour apporter des réformes d'importance au régime constitutionnel en place. Mais, les réformes qui chercheront à mettre fin à la dérive des constitutions du Canada seront suivies de la mise en place progressive d'une constitution du Canada qui essuiera le refus du Québec.

Section 2

Le refus de la constitution du Canada : du *BNA Act, 1867* et du *Canada Act, 1982*

Après avoir corrigé le tir en 1774 et rétabli les droits et les institutions des habitants de la province de Québec, le Royaume-Uni se voit à nouveau dans l'obligation de repenser l'organisation politique et constitutionnelle de sa colonie d'Amérique du Nord. Les autres colonies britanniques de Nouvelle-Écosse, du Nouveau-Brunswick et de l'Île-du-Prince-Édouard manifestent d'ailleurs une volonté de se joindre à la province du Canada. Cette entreprise donne lieu à des négociations qui, de Québec à Charlottetown, conduisent à la création d'une fédération de quatre provinces. Le *British North America Act*[33] donne suite, comme son préambule le stipule, au désir des provinces du Canada, de la Nouvelle-Écosse et du Nouveau-Brunswick « de s'unir en une fédération ayant statut de dominion de la couronne du Royaume-Uni de Grande-Bretagne et d'Irlande et dotée d'une *constitution* semblable dans son principe à celle du Royaume-Uni[34] ».

Cette *Loi constitutionnelle de 1867* redonne naissance à la province de Québec, mais la minorise au sein du nouveau Dominion du Canada. Elle comprend des dispositions relatives au pouvoir exécutif, au pouvoir législatif et à la magistrature ainsi qu'un partage des compétences entre le Parlement du Canada et les législatures provinciales. Il garantit également des droits scolaires (art. 93) et des droits linguistiques (art. 133) et comprend certaines normes relatives à l'union économique des quatre nouvelles provinces (art. 126).

Si la *Loi constitutionnelle de 1867* devient ainsi la première loi constitutionnelle de portée générale et est applicable à l'ensemble du Dominion, il y a lieu de remarquer que le chapitre V y intègre des « constitutions provinciales ». Ces constitutions contiennent des dispositions relatives au pouvoir législatif et au pouvoir exécutif et attribuent un pouvoir de sanction et désaveu des lois au lieutenant-gouverneur des provinces. Plusieurs dispositions s'appliquent particulièrement au pouvoir exécutif du Québec (art. 58 à 68) ainsi qu'à son pouvoir législatif (art. 71 à 87 et 89). On peut dès lors penser que le Québec est doté d'une constitution provinciale. L'existence d'une telle constitution est d'ailleurs confirmée par le premier paragraphe de l'article 91 selon lequel la législature dans chaque province pourra exclusivement faire des lois relatives à « l'amendement de temps à autre, nonobstant toute disposition contraire dans le présent acte, de la *constitution de la province*, sauf les dispositions relatives à la charge de lieutenant-gouverneur ».

Mais, l'évolution constitutionnelle du Québec sera d'abord et avant tout caractérisée par l'évolution du Canada dans son ensemble. Cette évolution se traduit par l'adhésion de six nouvelles provinces à la fédération canadienne et une accentuation du statut minoritaire du Québec au sein du Canada. Elle donne par ailleurs lieu à l'accession du Canada à l'indépendance qui se fait, comme l'affirme la Cour suprême du Canada, de façon progressive entre 1919 et 1931[35]. Le *Statut de Westminster* vient consacrer la souveraineté du Canada en 1931, mais celle-ci connaît une limitation d'importance puisque le pouvoir de modifier la *Loi constitutionnelle de 1867* continue d'appartenir, sur des matières aussi importantes que le partage des compétences et le pouvoir de modifier la constitution, au Parlement du Royaume-Uni. Ce dernier n'est guère invité à modifier la *Loi constitutionnelle de 1867* et une seule modification d'importance est adoptée après 1931 et a pour objet de transférer la compétence en matière d'assurance-chômage des législatures provinciales au Parlement du Canada[36].

Le droit constitutionnel canadien évolue principalement à travers les décisions des tribunaux qui ont la responsabilité d'interpréter et d'appliquer la *Loi constitutionnelle de 1867*. À cet égard, l'interprète ultime de la constitution qu'est le Comité judiciaire du Conseil privé de Londres protège le principe fédératif contre les assauts répétés du gouvernement du Canada et rend des décisions qui tendent à assurer le respect du partage des compétences conçu en 1867. En revanche, la Cour suprême du Canada, dont l'autorité sur la constitution devient entière à compter de 1955, contribue par sa jurisprudence à la dilution du principe fédératif et à une érosion importante des compétences dévolues aux provinces par la *Loi constitutionnelle de 1867*[37].

Pendant la période s'étendant de la naissance de la fédération canadienne jusqu'à l'avènement de la Révolution tranquille, le Québec n'exerce pas sa compétence de modifier la constitution de la province qui lui est attribuée par la *Loi constitutionnelle de 1867*, ni n'use de sa prérogative pour doter le Québec de sa propre constitution[38]. Aucune proposition n'est formulée en ce sens, ni ne donne lieu à des débats dans les milieux politiques et intellectuels de la province de Québec.

Le Québec s'engage plutôt dans la voie des négociations visant à modifier la constitution du Canada. Deux formules de modification de cette constitution – la formule Fulton de 1961 et la formule Fulton-Favreau de 1964 – font l'objet de débats constitutionnels, mais ne donnent lieu à aucun accord. Le Québec participe par ailleurs entre 1968 et 1971 à une série de conférences fédérales-provinciales visant à réformer la constitution canadienne, présidées successivement par les premiers ministres canadiens Lester B. Pearson et Pierre Elliott Trudeau et auxquelles participeront les premiers ministres québécois Daniel Johnson, Jean-Jacques Bertrand et Robert Bourassa. Ces négociations mènent à l'élaboration d'un projet de *Charte constitutionnelle canadienne*, connue comme étant la *Charte de Victoria*, dont les dispositions sont susceptibles d'engendrer une réforme significative de la constitution du Canada[39]. Mais le Québec rejette la *Charte de Victoria* et met fin à une série de tentatives de réforme[40].

Une grande parenthèse s'ouvre alors dans l'histoire des négociations constitutionnelles du Canada en raison de l'accession au pouvoir du Parti Québécois le 15 novembre 1976. Bien que des travaux de réforme constitutionnelle aient lieu durant le premier mandat du gouvernement du Parti Québécois et que la

Commission de l'unité canadienne formule notamment des propositions de réforme constitutionnelle[41], le gouvernement issu du Parti Québécois prépare le référendum sur la souveraineté-association et ne s'associe pas à l'entreprise de réflexion sur cette réforme.

Mais au lendemain de sa défaite référendaire du 20 mai 1980, le gouvernement du Parti Québécois est entraîné sur le terrain de la réforme de la constitution du Canada. Dès le 9 juin 1980, le premier ministre du Canada invite les provinces canadiennes à s'engager dans des négociations visant à rapatrier et réformer la constitution canadienne et commence alors l'un des épisodes les plus sombres de l'histoire canadienne.

Ces négociations connaissent de multiples péripéties et se déroulent dans un climat où plane la menace d'un rapatriement unilatéral de la constitution canadienne par le gouvernement fédéral. Cette menace de rapatriement unilatéral fait l'objet de contestations judiciaires et la Cour suprême du Canada, prenant le relais de trois cours d'appel provinciales (Manitoba, Terre-Neuve et Québec) formule l'avis selon lequel un degré appréciable de consentement provincial est, en raison d'une convention constitutionnelle, nécessaire pour modifier la constitution. Elle ajoute toutefois que le projet de rapatriement unilatéral est légal au sens strict, mais qu'il est illégitime parce que contraire à une telle convention constitutionnelle.

Cet avis de la Cour suprême du Canada a pour effet de relancer des négociations constitutionnelles et d'obliger le gouvernement du Canada à tenir compte de l'accord interprovincial conclu par huit provinces canadiennes, dont le Québec, le 16 avril 1981. Ces nouvelles négociations sont à l'origine de l'accord du 5 novembre 1981 conclu entre le gouvernement du Canada et les gouvernements des neuf provinces canadiennes, sans l'assentiment du Québec.

Cet épisode constitutionnel, et notamment sa « nuit des longs couteaux », est aujourd'hui passé dans l'histoire nationale du Québec comme celui de la grande fracture entre le Québec et le reste du Canada. D'ailleurs, les efforts du Québec pour empêcher l'accord du 5 novembre de produire ses effets, tant auprès des tribunaux qu'auprès du Parlement de Londres, demeurent vains. Le Parlement du Royaume-Uni adopte le *Canada Act 1982*[42], dont la *Loi constitutionnelle de 1982* est la pièce maîtresse et dont l'entrée en vigueur se produit le 17 avril 1982. Cette loi constitutionnelle ne satisfait aucunement les revendications historiques du Québec. Elle ne contient aucune modification significative du partage des compétences et restreint au contraire les compétences existantes du Québec en matière d'éducation en procédant à l'abrogation implicite, par l'article 23 de la *Charte canadienne des droits et libertés*, des dispositions de la *Charte de la langue française* en matière de la langue d'enseignement. Elle impose au Québec une formule de modification de la constitution qui ne lui reconnaît pas un droit de compensation satisfaisant.

L'acte de rapatriement de la constitution, auquel s'oppose non seulement le gouvernement du Québec, mais également l'Assemblée nationale du Québec, illustre le refus par le Québec de la constitution du Canada. Dans un pays démocratique, il est inconcevable que l'on puisse adopter une constitution contre le gré d'une partie importante de sa population. Mais le Canada a ainsi procédé et a imposé « sa » constitution au peuple du Québec. Un tel coup d'État constitutionnel n'a d'ailleurs jamais été accepté par les gouvernements et parlements qui se sont succédé au Québec et qui ont tenté de réparer cette injustice constitutionnelle.

En dépit de cela, le deuxième gouvernement de René Lévesque choisit « le beau risque » dans l'espoir d'un changement d'interlocuteur à Ottawa. S'étant engagé à réintégrer le Québec au sein de la famille constitutionnelle canadienne dans l'honneur et l'enthousiasme, le Parti progressiste-conservateur du Canada reçoit l'appui du Parti Québécois. Le gouvernement de René Lévesque cherche alors à initier un dialogue constitutionnel avec le reste du Canada et formule à cette fin des propositions de réforme constitutionnelle[43]. Le gouvernement Mulroney fait toutefois la sourde oreille et attend l'élection d'un nouveau gouvernement à Québec avant de s'engager dans une négociation destinée à assurer une telle réintégration.

Le gouvernement du Parti libéral du Québec, élu le 2 décembre 1985, initie quant à lui une nouvelle ronde de négociations constitutionnelles et formule les conditions minimales d'adhésion du Québec à la constitution du Canada. Donnant suite aux instructions de Robert Bourassa, le ministre délégué aux Affaires intergouvernementales canadiennes, Gil Rémillard, propose que soient entreprises des négociations constitutionnelles sur les matières suivantes :

> 1. Reconnaissance du Québec comme société distincte;
>
> 2. Droit de veto sur tout changement à la constitution;
>
> 3. Garanties concernant la nomination de juges québécois à la Cour suprême du Canada (un tiers des juges doivent être québécois);
>
> 4. Garanties aux provinces refusant de participer à des programmes fédéraux de recevoir des compensations financières;
>
> 5. Prise en charge complète par le Québec de l'immigration sur son territoire[44].

Sur la base de ces conditions minimales, des négociations sont entreprises et aboutissent le 30 avril 1987 à la conclusion sur les bords du lac Meech, d'une entente de principe portant sur les cinq conditions du Québec et l'adhésion de celui-ci à la constitution canadienne en vue d'« assurer la participation pleine et entière du Québec à l'évolution constitutionnelle du Canada ». L'entente du lac Meech ne résistera pas aux assauts répétés du reste du Canada, mais également à celui de l'auteur du rapatriement unilatéral de 1982, Pierre Eliott Trudeau, qui déclare au sujet de cet accord :

> Hélas! On avait tout prévu sauf une chose : qu'un jour le gouvernement canadien pourrait tomber entre les mains d'un pleutre. C'est maintenant chose faite. Et Brian Mulroney, grâce à la complicité de dix premiers ministres, est déjà entré dans l'Histoire comme l'auteur d'un document constitutionnel qui — s'il est accepté par le peuple et ses législateurs — rendra l'État canadien tout à fait impotent[45].

En dépit de tentatives de sauvetage de l'accord, et notamment de l'institution par le Parlement du Canada d'un comité spécial présidé par Jean Charest[46], la *Modification constitutionnelle de 1987* ne sera pas approuvée par l'ensemble des législatures du Canada dans les délais requis et l'accord du lac Meech deviendra caduc.

Cet échec constitutionnel entraîne un ressac important au Québec à l'égard du Canada et amène le premier ministre Robert Bourassa à déclarer, le 22 juin 1990, que « le Canada anglais doit comprendre de façon très claire que, quoi qu'on dise et quoi qu'on fasse, le Québec est, aujourd'hui et pour toujours, une société distincte, libre et capable d'assumer son destin et son développement[47] ». Bien que le gouvernement du Québec semble envisager de faire accéder le Québec à l'indépendance, il s'assure que la commission instituée pour se pencher sur l'avenir politique et constitutionnel du Québec garde vivante l'option d'un nouveau partenariat constitutionnel avec le Canada[48].

Comme le lui permet la *Loi sur le processus de détermination de l'avenir politique et constitutionnel du Québec*[49], le gouvernement libéral du Québec choisit la voie du partenariat constitutionnel plutôt que celui de l'indépendance. Il se joint à des négociations visant à réformer le fédéralisme canadien et participe à la conclusion de l'*Accord de Charlottetown*[50]. Il fera d'ailleurs amender la loi de façon à ce que le référendum porte non plus sur la souveraineté du Québec, mais sur le projet de partenariat constitutionnel. On connaît le sort réservé à cet accord lors des référendums organisés au Québec et au Canada et le refus des citoyens d'autoriser la *Modification constitutionnelle de 1992*[51].

Le rejet de l'*Accord de Charlottetown* met fin aux efforts de modification de la constitution du Canada. Il met aussi en lumière l'impossibilité de réformer une constitution dont la modification est devenue impossible en raison d'une procédure de modification qui donne au reste du Canada le pouvoir de rejeter toute demande du Québec.

Pendant toutes ces années de négociations constitutionnelles avec le Canada, le Québec adopte par ailleurs une série de lois fondamentales qui commenceront à définir les contours de sa propre constitution. Ainsi, l'histoire nationale du Québec enseigne qu'il y a une constitution du Québec en émergence.

CHAPITRE 2

L'ÉMERGENCE DE LA CONSTITUTION DU QUÉBEC : DE LA *CHARTE DES DROITS ET LIBERTÉS DE LA PERSONNE* À LA *LOI SUR LES DROITS FONDAMENTAUX DU QUÉBEC*

Comme communauté politique, le Québec semble avoir des vies constitutionnelles parallèles. D'une part, il vit au sein du Canada et tente de négocier des réformes à la constitution du Canada. D'autre part, il se construit une identité constitutionnelle. Ainsi, l'idée de doter le Québec de sa propre constitution émerge dans le discours des dirigeants politiques québécois.

En 1965, Daniel Johnson promeut l'idée de doter le Québec de sa propre constitution et affirme d'ailleurs qu'il désire « en arriver à proclamer une constitution interne du Québec[52] ». Le programme de l'Union nationale prévoit d'ailleurs :

> 4. Comme prélude à un nouveau pacte entre deux nations égales et fraternelles convoquer une assemblée constituante mandatée par le peuple québécois pour :
>
> a) réviser et compléter la constitution interne du Québec, en y incluant une formule d'amendement qui consacre la souveraineté du peuple québécois et son droit d'être consulté par voie de référendum sur toute matière qui met en cause la maîtrise de son destin [...][53].

Se fondant sur le rapport du comité des affaires constitutionnelles soumis au congrès de la fédération libérale du Québec le 14 octobre 1967, le Parti libéral du Québec adopte lors de son congrès de 1968 une résolution relative à la constitution du Québec. Cette résolution prévoit :

> 8. Le Québec doit élaborer et adopter une constitution interne qui soit sa loi fondamentale et qui prévoie, notamment, une déclaration des droits de l'homme, y compris les droits économiques et sociaux;

> 9. Le comité parlementaire de la constitution doit être immédiatement convoqué pour entreprendre sans délai :
>
> a) l'élaboration de la constitution interne du Québec [...][54].

Le Comité de la constitution, qu'a fait revivre le gouvernement de l'Union nationale en 1967[55], sera d'ailleurs saisi de la question de la constitution interne du Québec. Ce comité, dont l'appellation sera modifiée pour Commission de la constitution, se réunit d'ailleurs à trois reprises[56]. Ses membres échangent des vues sur la question de la constitution interne du Québec[57] et procèdent à l'audition d'un éminent expert[58].

Au même moment, le Québec modifie sa constitution provinciale et semble ainsi initier une démarche de nature constitutionnelle. En abolissant le Conseil législatif[59] et en transformant son assemblée législative en Assemblée nationale[60], le Québec modifie de façon institutionnelle et symbolique son identité constitutionnelle. Ces premiers gestes ne sont toutefois suivis d'aucun autre geste ayant une portée analogue et les travaux de la Commission de la Constitution demeurent inachevés.

L'idée de doter le Québec de sa propre constitution interne ne refait surface que 15 ans plus tard. Ainsi, le député du Parti Québécois David Payne publie deux documents relatifs à la constitution du Québec[61]. Le premier ministre René Lévesque autorise à la même époque la mise sur pied d'un groupe de travail dont le mandat est de rédiger un projet de constitution du Québec. Ce groupe, dont fait partie le ministre des Affaires intergouvernementales, Jacques-Yvan Morin, complète la rédaction d'un projet de constitution du Québec dont le texte demeure, jusqu'à ce jour, secret[62]. Succédant à Jacques-Yvan Morin comme ministre aux Affaires intergouvernementales, Pierre Marc Johnson évoque à son tour la possibilité que le Québec se dote d'une constitution, mais le gouvernement du Parti Québécois ne va pas plus loin à cet égard et n'initie aucun débat à ce sujet[63].

Si les gouvernements du Québec résistent ainsi à la tentation d'adopter une constitution du Québec, ils se font les promoteurs de lois fondamentales qui donneront à la constitution du Québec une assise (Section 1) et en présenteront également une esquisse (Section 2).

Section 1

L'assise d'une constitution du Québec : de la *Charte des droits et libertés de la personne* et de la *Charte de la langue française*

Promue dans les milieux universitaires et réclamée par les associations militantes, l'idée de doter le Québec d'une loi visant à garantir des droits et libertés recueille l'adhésion du gouvernement du Québec au milieu des années 1970. Alors que plusieurs provinces ont déjà légiféré en la matière et que le Canada a adopté, en 1960, une *Déclaration canadienne des droits* en 1960, le gouvernement du Québec emboîte enfin le pas et soumet à l'examen de l'Assemblée nationale du Québec, en octobre 1974, le projet de *Loi sur les droits et libertés de la personne*[64].

L'examen de cette loi suscite un débat qui prend une tournure constitutionnelle. De plus, les échanges à l'Assemblée nationale portent sur le catalogue des droits qu'il faut inclure dans cette loi et gravitent autour de la préséance de la nouvelle loi sur les autres lois du Québec et sur son éventuelle procédure de modification. Ainsi, plusieurs intervenants plaident en faveur de la constitutionnalisation des droits et libertés et exigent d'une part que la nouvelle loi ait préséance sur les lois du Québec et d'autre part qu'elle ne puisse être modifiée que par une procédure spéciale.

Au terme des débats, l'Assemblée nationale adopte une *Charte des droits et libertés de la personne*[65] dont le préambule donne au texte une allure constitutionnelle[66], mais dont seuls certains articles pourront prévaloir sur toute disposition d'une loi, pourvu que cette loi soit postérieure à l'adoption de la *Charte des droits et libertés*[67]. S'agissant de sa procédure de modification, le gouvernement du Québec refuse de donner suite à la proposition voulant que celle-ci ne puisse être modifiée que par le vote des deux tiers des membres de l'Assemblée nationale.

Ces dispositions font dire ultérieurement aux tribunaux que la *Charte des droits et libertés* est une loi quasi constitutionnelle[68] et mettent en lumière le fait que le Québec a ainsi commencé à mettre en place son propre ordre constitutionnel. D'ailleurs, les droits garantis par la Charte se voient donner un poids additionnel puisque les modifications qui lui sont apportées en 1981 confèrent dorénavant aux articles 1 à 38 une préséance sur les dispositions des autres lois, y compris sur les lois antérieures[69]. En dépit des demandes en ce sens, on ne donne toutefois pas suite à la demande de protéger la Charte par une procédure spéciale de modification et on maintient ainsi le caractère quasi constitutionnel de la Charte. Nous sommes néanmoins, comme un constitutionnaliste réputé l'a affirmé, les témoins d'une constitutionnalisation progressive de la *Charte des droits et libertés*[70].

Sans doute peut-on également dire des lois visant à conférer un statut à la langue française qu'elles participent aussi à la construction d'un ordre constitutionnel québécois. Si, de par son contenu, l'on ne peut reconnaître à la *Loi pour promouvoir la langue française au Québec*[71] un tel caractère fondamental, la *Loi sur la langue officielle*[72] amorce une reconnaissance en élevant la langue française au rang de patrimoine national que l'État a le devoir de préserver et dont le gouvernement doit assurer la prééminence, le rayonnement et la qualité. Mais c'est la *Charte de la langue française*[73] qui, en 1977, cristallise le caractère fondamental de la langue française et énumère dans son préambule des principes qui inscrivent le Québec dans le mouvement universel de revalorisation des cultures nationales qui confère à chaque peuple l'obligation d'apporter une contribution particulière à la communauté internationale. D'ailleurs, ce préambule de la *Charte de la langue française* est fort éloquent et ressemble à ce que pourrait d'ailleurs être le préambule de la constitution du Québec lui-même. Ainsi, est-il affirmé :

> Langue distinctive d'un peuple majoritairement francophone, la langue française permet au peuple québécois d'exprimer son identité.

> L'Assemblée nationale reconnaît la volonté des Québécois d'assurer la qualité et le rayonnement de la langue française. Elle est donc résolue à faire du français la langue de l'État et de la Loi aussi bien que la langue normale et habituelle du travail, de l'enseignement, des communications, du commerce et des affaires.
>
> L'Assemblée nationale entend poursuivre cet objectif dans un esprit de justice et d'ouverture, dans le respect des institutions de la communauté québécoise d'expression anglaise et celui des minorités ethniques, dont elle reconnaît l'apport précieux au développement du Québec.
>
> L'Assemblée nationale reconnaît aux Amérindiens et aux Inuits du Québec, descendants des premiers habitants du pays, le droit qu'ils ont de maintenir et de développer leur langue et culture d'origine.
>
> Ces principes s'inscrivent dans le mouvement universel de revalorisation des cultures nationales qui confère à chaque peuple l'obligation d'apporter une contribution particulière à la communauté internationale[74].

De plus, et tout en réaffirmant le caractère « officiel » de la langue française, les articles 2 à 6 de la *Charte de la langue française* sont qualifiés de « droits linguistiques fondamentaux[75] ». Toutefois, le caractère fondamental de ces droits n'est pas fondé, comme pour les droits garantis aux articles 1 à 38 de la *Charte des droits et libertés*, sur une préséance de ces droits sur d'autres dispositions législatives et n'a donc pas un caractère quasi constitutionnel[76]. De même, tous les droits linguistiques garantis par la *Charte de la langue française* ne sont pas fondamentaux, et notamment ceux qui ont une portée très concrète et qui régissent la langue de la législation et de la justice, de l'administration, du travail, du commerce et des affaires et de l'enseignement.

D'ailleurs, s'agissant de la langue de la législation et de la justice, les tribunaux n'ont pas hésité à déclarer des dispositions de la *Charte de la langue française* contraires à la *Loi constitutionnelle de 1867* et ont révélé le statut précaire de ces droits. Il en a été de même pour les dispositions relatives au commerce et aux affaires, et en particulier à la langue de l'affichage, qui ont été déclarées inopérantes en regard à la fois de la *Charte canadienne des droits et libertés* et de la *Charte des droits et libertés*. Et, est-il nécessaire de faire la démonstration du caractère « non fondamental » de la *Charte de la langue française* en ce qui concerne ses dispositions relatives à la langue d'enseignement lorsque l'on constate que celles-ci ont été abrogées de façon implicite par la *Loi constitutionnelle de 1982*, et ce, sans le consentement du Québec?

En dépit de la qualification quasi constitutionnelle des droits garantis dans la *Charte des droits et libertés* et du caractère « symboliquement » fondamental des droits linguistiques reconnus dans la *Charte de la langue française*, l'on peut arguer que ces deux lois constituent l'assise d'une constitution québécoise en émergence. Il s'agit par ailleurs d'une constitutionnalisation de droits individuels, bien qu'il faille remarquer que la reconnaissance de droits linguistiques suppose l'appartenance à un groupe, qu'il soit majoritaire ou minoritaire, et confère ainsi à de tels droits une dimension collective.

Le processus de constitutionnalisation des droits est de toute évidence inachevé et des voix se font entendre pour mener à terme ce processus. Ainsi, pour les droits et libertés de la personne, la Commission des droits de la personne et des droits de la jeunesse a récemment estimé que « la constitutionnalisation de la Charte constituerait un moyen privilégié de consacrer le statut unique de la Charte dans l'ordre juridique québécois[77] » et a formulé plusieurs recommandations pour procéder à une telle constitutionnalisation[78]. Par ailleurs, la Commission des États généraux sur la langue française a également recommandé l'élévation des droits linguistiques au rang de véritables droits constitutionnels. Ainsi, les recommandations 12 et 13 de la Commission proposent de conférer un caractère constitutionnel à certaines normes de la *Charte de la langue française* et de le faire en ces termes :

12. Que soit accordé un caractère constitutionnel aux normes juridiques suivantes :

Le français est la langue officielle du Québec. À ce titre, elle est la langue de l'Administration et la langue d'enseignement du réseau commun d'éducation. De plus, tous les écrits et actes juridiques officiels doivent exister dans cette langue.

Le français est, au Québec, la langue commune de la vie et de l'espace publics. À ce titre, elle doit être la langue normale et habituelle dans les domaines de la vie et de l'espace publics, notamment les milieux de travail, le commerce et les affaires, les activités des personnes morales.

L'anglais, l'inuktitut et les langues autochtones ont aussi chacune leur place dans la vie et l'espace publics, en harmonie avec la langue officielle et commune. Ces dispositions s'interprètent de manière à garantir la prééminence de la langue officielle et commune, le français.

13. Que bénéficient d'une protection constitutionnelle les dispositions de la *Charte de la langue française* relatives à l'accès à l'école de langue anglaise et à l'emploi des langues amérindiennes ou de l'inuktitut comme langues d'enseignement aux Amérindiens et aux Inuits.[79]

Ainsi, un ordre constitutionnel québécois semble prendre assise sur les droits fondamentaux. À cette assise semble vouloir s'attacher par ailleurs d'autres normes fondamentales qui se retrouvent dans des lois qui esquissent davantage encore la constitution québécoise.

Section 2

L'esquisse de la constitution du Québec : de la *Loi sur l'avenir politique et constitutionnel du Québec* à la *Loi sur les droits fondamentaux du Québec*

La *Charte des droits et libertés* et la *Charte de la langue française* donnent à l'édifice constitutionnel québécois une assise et leur adoption se produit d'ailleurs au moment où les Québécoises et les Québécois sont invités par les tenants de l'indépendance du Québec à se donner un pays et à donner à ce pays sa propre constitution.

Le débat sur la constitution du Québec a d'ailleurs toujours intéressé les tenants de l'indépendance du Québec dont le projet visant à faire un pays suppose l'adoption d'une constitution[80]. Inspirés par les recommandations des États généraux du Canada français en 1967[81], les partis politiques indépendantistes prévoient que le Québec souverain sera doté d'une Constitution, qu'il s'agisse du Rassemblement pour l'indépendance nationale[82], du Ralliement national[83], du Parti socialiste du Québec[84] ou du Mouvement souveraineté-association[85].

Le Parti Québécois formule dès son premier programme un engagement analogue et reprend pour l'essentiel les dispositions contenues dans le programme du Mouvement souveraineté-association. Adopté lors de son Ier congrès national le 14 octobre 1968, le programme précise que cette constitution sera élaborée « avec la participation populaire au niveau des comtés et ratifiée par les délégués du peuple réunis en assemblée constituante[86] ». S'agissant du contenu de cette constitution, le programme prévoit:

> La constitution comprendra deux sortes de dispositions. Les dispositions du préambule définiront les principes qui devront guider la société et l'État québécois, mais elles n'auront pas force de loi. Les autres, de beaucoup les plus nombreuses, garantiront les droits individuels et collectifs des Québécois, délimiteront le territoire, définiront et structureront les institutions

politiques et les organes étatiques et distribueront les compétences découlant de la souveraineté. Ces dispositions lieront de façon rigoureuse, sous la surveillance d'un organe juridictionnel, les autorités politiques, les tribunaux et les citoyens[87].

Les programmes du Parti Québécois contiendront, sans exception, un tel engagement, et ce, jusqu'à la prise du pouvoir par le Parti Québécois le 15 novembre 1976[88]. Adopté lors du Ve congrès national le 17 novembre 1974, le programme en vigueur au moment de cette prise de pouvoir contient deux engagements relatifs à une constitution du Québec. Ainsi, dans le chapitre consacré à l'accession à l'indépendance, on y reprend l'engagement de « [s]oumettre à la population une constitution nationale élaborée par les citoyens au niveau des comtés et adoptés par les délégués du peuple réunis en assemblée constituante[89] », mais on précise de façon assez détaillée le contenu d'une telle constitution. Ainsi, un gouvernement du Parti Québécois s'engage à :

1. Présenter un projet de constitution comportant :

A) Une déclaration des droits de l'homme qui s'inspire de la Déclaration Universelle des Nations Unies, consacrant notamment :

a) le droit de l'individu à la liberté et la sûreté de sa personne;

b) l'égalité devant la loi, la présomption d'innocence et une juste procédure accusatoire en matière pénale;

c) le droit à la liberté de pensée, d'opinion, de conscience et de religion;

d) le droit à l'information;

e) le droit au travail, aux loisirs, à la santé, au logement et à un niveau de vie suffisant;

f) le droit à l'éducation;

g) le droit à la culture;

B) Les institutions d'une République à gouvernement présidentiel composée :

a) d'un président, à la fois chef de l'État et chef de gouvernement, élu pour quatre ans, au suffrage universel direct et dont le mandat n'est renouvelable qu'une seule fois. En cas de décès, incapacité ou démission, il est remplacé par un vice-président élu automatiquement en même temps que lui. Dans l'exercice de ses principaux pouvoirs :

- il nomme les ministres et les secrétaires d'État qui ne peuvent être députés en même temps;

- il propose à l'Assemblée nationale la nomination des juges de la Cour suprême;

- il nomme les ambassadeurs avec l'approbation des deux tiers de l'Assemblée nationale;

- il conclut les traités, sujets à ratification par les deux tiers de l'Assemblée nationale lorsqu'ils ont pour objet de modifier la législation interne ou comportent des dépenses de deniers publics;

- il possède un droit de veto sur les lois votées à l'Assemblée nationale. Ce veto peut toutefois être levé si la loi est adoptée une seconde fois à l'Assemblée nationale par un vote à la majorité des deux tiers;

- il est le premier responsable des forces de défense territoriale mais il ne peut les impliquer dans aucune action majeure sans le consentement de l'Assemblée nationale;

- il a le droit de grâce.

b) d'une Assemblée nationale investie des pouvoirs législatifs et délibératifs, élue pour une période de quatre ans au suffrage universel direct. Cette assemblée est convoquée en session à date fixe à chaque année, sauf urgence où elle se réunit de plein droit. Le président ne peut dissoudre l'Assemblée.

Dans l'exercice de ses principaux pouvoirs, l'Assemblée nationale :

- vote tous les projets de loi y compris les projets émanant de l'exécutif;

- vote le budget et tous les crédits;

- possède un droit de contrôle sur l'exécutif, peut convoquer et interroger les ministres et secrétaires d'État et, le cas échéant, peut révoquer le président par un vote à la majorité des trois quarts;

- établit un système de commissions parlementaires permanentes ou spécialisées;

- peut lever le veto du président par un vote majoritaire des deux tiers;

- nomme les juges de la Cour suprême, sur proposition du Président, par un vote à la majorité des deux tiers.

c) d'une Cour suprême chargée de veiller en dernier ressort au respect de la constitution.

C) La liberté pour les partis politiques d'exercer leur activité et de participer au processus électoral dans le respect des principes démocratiques;

D) Le recours au référendum, dans les limites de la Constitution[90].

Cette description du contenu d'un projet de constitution est reprise dans le programme adopté par le Parti Québécois lors de son VIIe congrès national les 1er, 2 et 3 juin 1979[91]. Dans son chapitre relatif à l'accession à l'indépendance, l'engagement relatif à la constitution du Québec est toutefois reformulé et ne comporte plus de référence au mode d'élaboration de la constitution et à la convocation d'une assemblée constituante. Un gouvernement du Parti Québécois s'engage dorénavant à « soumettre à la population une constitution assurant l'équilibre entre un gouvernement efficace et le respect des libertés démocratiques[92] ».

Curieusement, ces engagements ne donnent pas lieu à des travaux significatifs sur le contenu d'une future constitution québécoise entre le 15 novembre 1976 et la tenue du référendum le 20 mai 1980. Ainsi, même si certains éléments susceptibles d'être insérés dans une constitution du Québec sont évoqués dans le livre blanc sur la souveraineté-association déposé à l'Assemblée nationale par le gouvernement de René Lévesque le 1er novembre 1979, ce document ne fait aucune mention du processus d'élaboration et d'adoption de la constitution d'un Québec souverain[93].

Ce n'est que dix ans plus tard, au lendemain de la mort de l'accord du lac Meech et au moment où le gouvernement du Parti libéral du Québec met la souveraineté à l'ordre du jour, que de véritables débats s'amorcent sur la constitution d'un Québec souverain. La *Loi instituant la Commission sur l'avenir politique et constitutionnel du Québec*[94] se présente d'ailleurs elle-même, par son préambule, comme un document de nature constitutionnelle et ses 12 considérants en font d'ailleurs foi :

> Considérant que les Québécoises et les Québécois sont libres d'assumer leur propre destin, de déterminer leur statut politique et d'assurer leur développement économique, social et culturel;
>
> Considérant la volonté des Québécoises et des Québécois d'être partie prenante à la définition de l'avenir politique et constitutionnel du Québec;
>
> Considérant que la Loi constitutionnelle de 1982 a été proclamée malgré l'opposition de l'Assemblée nationale;
>
> Considérant l'échec de l'Accord constitutionnel de 1987 visant à permettre au Québec d'adhérer à la Loi constitutionnelle de 1982;
>
> Considérant la nécessité de redéfinir le statut politique et constitutionnel du Québec;

Considérant que le Québec a d'ores et déjà témoigné de son attachement aux valeurs démocratiques et aux droits et libertés de la personne;

Considérant que le Québec a reconnu la volonté des Québécoises et des Québécois d'assurer la qualité et le rayonnement de la langue française et d'en faire la langue de l'État et de la Loi aussi bien que la langue normale et habituelle du travail, de l'enseignement, des communications, du commerce et des affaires;

Considérant que le Québec entend poursuivre cet objectif dans un esprit de justice et d'ouverture, dans le respect des droits et des institutions de la communauté québécoise d'expression anglaise;

Considérant que le Québec reconnaît aux Amérindiens et aux Inuits du Québec le droit de maintenir et de développer leur identité et leur culture propre et d'assurer le progrès de leurs communautés et qu'il considère primordial l'apport des communautés culturelles au développement du Québec;

Considérant l'apport du Québec aux communautés francophones hors Québec et à la francophonie internationale;

Considérant la maturité et la vigueur de l'économie du Québec et la volonté manifeste des Québécoises et des Québécois d'en assurer le développement et la croissance, en respectant à la fois les exigences de la mondialisation des marchés et celles de la justice sociale;

Considérant, dès lors, qu'il y a lieu de créer une commission extraordinaire pour étudier et analyser le statut politique et constitutionnel du Québec [...][95].

C'est dans le cadre des travaux de cette commission Bélanger-Campeau que la question de la constitution du Québec donne lieu à des discussions intéressantes et que des témoignages nombreux portant sur l'importance de doter le Québec d'une véritable constitution sont entendus[96]. Dans son rapport, la commission Bélanger-Campeau affirme d'ailleurs que « dès la prise d'effet du nouveau statut (d'État souverain), une constitution québécoise entrerait en vigueur pour fonder l'organisation politique et juridique du nouvel État[97] » et que « selon les circonstances il pourrait s'agir d'un document constitutionnel de transition ou d'une loi fondamentale dûment complétée[98] ».

Les travaux les plus avancés sur la question de la constitution du Québec sont toutefois réalisés dans le cadre de la Commission d'étude des questions afférentes à l'accession du Québec à la souveraineté dont la mise sur pied est recommandée par la commission Bélanger-Campeau et qui est instituée par la *Loi sur le processus de détermination de l'avenir politique et constitutionnel du Québec*[99].

La Commission publie d'abord un document de travail sur la question de la constitution à l'intention des personnes et groupes désireux de participer ses travaux[100]. La Commission commande également des études au professeur Jacques-Yvan Morin[101] et à la professeure Nicole Duplé[102]. Leurs travaux portent sur le contenu et le processus d'élaboration d'une constitution pour le Québec et constituent à ce jour des contributions majeures au débat. Bien que cette commission ne mène pas ses travaux à terme, elle publie un projet de rapport et consacre un développement important au nouvel ordre constitutionnel d'un Québec souverain en abordant la question de la forme de la constitution, du régime constitutionnel provisoire et définitif et du contenu de la constitution[103].

Les travaux de cette commission n'ont pas de portée immédiate puisque le gouvernement du Québec opte, comme on l'a évoqué dans le chapitre précédent, pour la voie du partenariat de nature constitutionnelle et soumet plutôt l'*Accord de Charlottetown* à la consultation populaire. La victoire du camp du NON lors du référendum du 26 octobre 1992 a pour effet de mettre un terme aux efforts de réforme constitutionnelle au Canada. Depuis cette date, aucune tentative de réforme globale de la constitution du Canada n'a d'ailleurs eu lieu.

Le Parti Québécois est quant à lui amené à préciser sa propre démarche d'accession du Québec à la souveraineté. Dans cette stratégie, une place importante est réservée à la constitution d'un Québec souverain, comme le révèlent les dispositions du programme qu'il adopte lors de son XIIe congrès national en août 1993 :

> - Dès qu'il sera élu, un gouvernement issu du Parti Québécois :
> [...]
>
> c) fera adopter une loi instituant une commission constitutionnelle ayant le mandat de rédiger un projet de Constitution du Québec souverain.
>
> - Dans les meilleurs délais, le gouvernement demandera à la population de se prononcer, par voie de référendum, sur la souveraineté du Québec et sur les dispositions d'ordre constitutionnel permettant au Québec d'exercer sa souveraineté[104].

L'élection d'un gouvernement du Parti Québécois le 12 septembre 1994 a comme conséquence de réanimer le débat sur l'accession du Québec à la souveraineté et de susciter à nouveau une discussion sur la constitution d'un Québec souverain. En déposant l'avant-projet de *Loi sur la souveraineté du Québec*[105] le 6 décembre 1994, le gouvernement de Jacques Parizeau devient le premier gouvernement québécois à déposer un document de nature législative exprimant l'intention de doter le Québec d'une constitution. Ainsi, l'article 3 de cet avant-projet traite-t-il de la question de la constitution en ces termes :

> Nouvelle constitution
>
> 3. Le gouvernement doit, conformément aux modalités prescrites par l'Assemblée nationale, pourvoir à l'élaboration d'un projet de constitution pour le Québec et à son adoption. Cette constitution doit inclure une charte des droits et libertés de la personne. Elle doit garantir à la communauté anglophone la préservation de son identité et de ses institutions. Elle doit également reconnaître aux nations autochtones le droit de se gouverner sur des terres leur appartenant en propre. Cette garantie et cette reconnaissance s'exercent dans le respect de l'intégrité du territoire québécois. La constitution prévoira la décentralisation de pouvoirs spécifiques aux instances locales et régionales ainsi

que des ressources fiscales et financières adéquates pour leur exercice[106].

L'avant-projet de loi donne lieu à de multiples débats devant les commissions régionales, la Commission des jeunes, la Commission des aînés et la Commission nationale sur l'avenir du Québec, et toutes les composantes de cet article font l'objet de recommandations de la part des commissions. Si des suggestions utiles sont faites au sujet des droits et libertés, des droits de la communauté anglophone et des nations autochtones et de la décentralisation des pouvoirs, c'est la question de l'élaboration même de la constitution qui suscite les réactions les plus nombreuses. Celles-ci porteront principalement sur la démarche de rédaction et d'approbation de la future constitution d'un Québec souverain[107].

En faisant la synthèse des recommandations des diverses commissions régionales, la Commission nationale sur l'avenir du Québec recommande à cet égard que la rédaction de la constitution soit confiée à une assemblée constituante composée d'un nombre égal d'hommes et de femmes, sans qu'elle ne propose de modalités précises de désignation ou d'élection des membres d'une telle assemblée. En revanche, elle insiste, comme plusieurs commissions régionales, pour que le projet de constitution soit soumis à la population par voie de référendum[108].

Une autre synthèse est proposée dans un document que « Le camp du changement » rend public après les travaux des Commissions sur l'avenir du Québec. Jacques Parizeau, Lucien Bouchard et Mario Dumont invitent les femmes et les hommes du Québec à en prendre connaissance[109]. Dans *Le cœur à l'ouvrage*, il est question d'« [u]ne constitution qu'on écrira nous-mêmes » et on y lit :

> Si on vote Oui au changement, pour réaliser la souveraineté et offrir le partenariat, on va enfin fonder notre société sur des bases démocratiques solides.
>
> D'abord, le geste fondateur du Québec aura été incarné dans un vote : le référendum de cet automne. Puis la future constitution du Québec sera le

> fruit d'une vaste consultation populaire, comme l'ont recommandé les Commissions sur l'avenir du Québec.
>
> Dans un premier temps, après un Oui, le Québec va conserver ses institutions québécoises politiques actuelles. Elles ont bien servi les Québécois depuis longtemps. Il sera possible, ensuite, de les améliorer selon les vœux qui seront exprimés par les citoyens.
>
> Au cours de l'hiver dernier, beaucoup de Québécoises et de Québécois de tous âges ont parlé de la nécessité de mieux affirmer, en plus des droits, les obligations des citoyens. D'autres ont réclamé un meilleur équilibre entre les droits individuels et les droits collectifs, auxquels la Constitution canadienne fait bien peu de place. La discussion sur notre nouvelle constitution nous permettra de fixer nos orientations en ce sens. Quel rôle doit-on donner aux régions par rapport au gouvernement national? Comment inscrire le développement durable comme principe de gouvernement? Jusqu'où doit s'étendre le pouvoir qu'ont les juges, plutôt que les élus, sur les débats de société? La majorité de nos voisins canadiens pensent qu'il faut surtout donner le dernier mot aux juges. La majorité des Québécois pensent qu'il faut surtout donner le dernier mot aux élus.
>
> Ces questions feront l'objet d'une vaste consultation populaire, qui pourrait prendre plusieurs formes, mais qui devra satisfaire le besoin exprimé par les citoyens, de Montréal, de Québec et des régions, d'être partie prenante à la définition de leur constitution. La loi fondamentale du Québec sera issue du peuple québécois, elle ne nous sera pas imposée par nos voisins sans nous consulter[110].

Dans son projet de *Loi sur l'avenir du Québec*[111], déposé le 7 septembre 1995, le gouvernement du Québec tient compte de ces diverses recommandations et présente les modes d'élaboration de la nouvelle constitution du Québec. L'article 6 du *Projet de loi n° 1* se lit ainsi :

> 6. Un projet de nouvelle constitution sera élaboré par une commission constituante établie conformément aux prescriptions de l'Assemblée nationale. Cette commission, composée d'un nombre égal d'hommes et de femmes, sera formée d'une majorité de non-parlementaires et comprendra des Québécois d'origines et de milieux divers.
>
> Les travaux de cette commission doivent être organisés de manière à favoriser la plus grande participation possible des citoyens dans toutes les régions du Québec, y compris, au besoin, par la création de sous-commissions régionales.
>
> Le projet de la commission est déposé à l'Assemblée nationale qui en approuve la teneur définitive. Ce projet est ensuite soumis à la consultation populaire et devient, après son approbation, la loi fondamentale du Québec.

Le *Projet de loi nº 1* propose par ailleurs que le Québec se dote d'une constitution transitoire après la déclaration de souveraineté et l'article 24 du projet est ainsi libellé :

> 24. Le Parlement du Québec peut adopter le texte d'une constitution transitoire qui sera en vigueur à compter de la date de l'accession à la souveraineté jusqu'à l'entrée en vigueur de la nouvelle constitution du Québec. Cette constitution transitoire doit assurer la continuité des institutions démocratiques du Québec et des droits constitutionnels qui sont en vigueur à la date de l'accession à la souveraineté, notamment ceux qui concernent les droits et les libertés de la personne, la communauté anglophone, l'accès aux écoles de langue anglaise et les nations autochtones.
>
> Jusqu'à ce que cette constitution transitoire entre en vigueur, les lois, règles et conventions qui régissent la constitution interne du Québec restent en vigueur[112].

Cette proposition de doter le Québec d'une constitution transitoire et d'initier les démarches visant à doter le Québec d'une nouvelle constitution ne peut avoir de suite en raison de la défaite du camp du OUI lors de la consultation populaire du

30 octobre 1995. Mais, comme on le constate, la démarche d'accession à la souveraineté a fait avancer la réflexion sur l'éventuel contenu d'une constitution du Québec ainsi que sur les modes d'adoption d'une telle constitution.

Même si quelques voix se font entendre et plaident en faveur de l'élaboration d'une constitution du Québec à la fin des années 1990[113], le débat sur une constitution du Québec ne reprend vraiment que lorsque le gouvernement du Québec cherche à donner la réplique au projet de *Loi donnant effet à l'exigence de clarté formulée par la Cour suprême du Canada dans son avis sur le renvoi sur la sécession du Québec*[114]. Déposé à la Chambre des communes du Canada le 10 décembre 1999, le projet de *Loi sur la clarté* s'inscrit dans le cadre d'un plan B élaboré par le gouvernement du Parti libéral du Canada au lendemain du référendum de 1995 pour endiguer la progression du mouvement souverainiste au Québec[115].

Ce plan B a une dimension juridique dont l'une des premières actions est la formulation d'une demande d'avis à la Cour suprême du Canada sur la légalité d'une éventuelle « sécession » du Québec. L'avis de la Cour suprême du Canada sur le *Renvoi relatif à la sécession du Québec*[116] cause toutefois une énorme surprise au gouvernement du Canada puisqu'il affirme que le Canada a « l'obligation de prendre en considération et de respecter cette expression de la volonté démocratique en engageant des négociations[117] » et que le Québec a le « droit de chercher à réaliser la sécession[118] ».

L'adoption d'une telle *Loi sur la clarté* semble ainsi être rendue nécessaire en vue de neutraliser l'effet de cet avis. Cette loi vise donc à conférer au Parlement du Canada le pouvoir de déterminer si une question formulée par l'Assemblée nationale du Québec est claire et si la majorité exprimée dans le cadre d'une consultation populaire est claire. En l'absence d'une telle clarté, la loi instruit le gouvernement du Canada de n'engager aucune négociation sur les conditions auxquelles le Québec pourrait cesser de faire partie du Canada[119].

La réplique du gouvernement du Québec prend la forme du projet de *Loi sur l'exercice des droits fondamentaux et des prérogatives du peuple québécois et de l'État du Québec*[120]. Déposé cinq jours après le projet de *Loi sur la clarté*, soit le 15 décembre 1999, ce projet de loi a pour principal objet d'affirmer que le peuple québécois a le droit inaliénable de choisir librement son régime politique et le statut juridique du Québec et de déterminer seul, par l'entremise des institutions politiques qui lui appartiennent en propre, les modalités de l'exercice de ce droit. Le projet de loi établit en outre qu'aucun autre parlement ou gouvernement ne peut réduire les pouvoirs, l'autorité, la souveraineté et la légitimité de l'Assemblée nationale ni contraindre la volonté démocratique du peuple québécois à disposer lui-même de son avenir.

Une lecture attentive de la *Loi sur les droits fondamentaux du Québec* permet de constater qu'elle est ni plus ni moins que l'esquisse du texte d'une constitution du Québec. Inspirés par la *Loi sur l'avenir politique et constitutionnel du Québec* et la *Loi sur le processus de détermination de l'avenir du Québec*, ses considérants sont formulés comme ceux que l'on retrouve dans le préambule d'une constitution, d'autant qu'on réfère au fait que « l'État du Québec est fondé sur des assises constitutionnelles qu'il a enrichies au cours des ans par l'adoption de plusieurs lois fondamentales et par la création d'institutions démocratiques qui lui sont propres ».

La structure même de la loi évoque celle d'une véritable constitution. Ces dispositions sont regroupées en chapitres intitulés respectivement *Du peuple québécois*, *De l'État du Québec*, *Du territoire québécois* et *Des nations autochtones du Québec*. La loi contient une affirmation du droit du Québec de disposer de lui-même et de choisir librement son régime politique et son statut juridique. Elle comporte des dispositions de nature institutionnelle et électorale et proclame que le Québec est souverain dans les domaines de compétence qui sont les siens dans le cadre des lois et des conventions de nature constitutionnelle. Elle comporte des dispositions relatives aux compétences internationales du Québec et enchâsse la doctrine Gérin-Lajoie. Elle consolide le statut de la langue française en proclamant à nouveau son statut de langue officielle, tout en rappelant l'esprit de justice et d'ouverture, dans le respect des droits consacrés de la communauté québécoise d'expression anglaise. La loi consacre le principe d'intégrité territoriale et reconnaît à l'État du Québec la compétence d'aménager, développer et administrer ce territoire et d'en confier également l'administration à des entités locales et régionales. Les droits des nations autochtones y sont également enchâssés dans une terminologie empruntée à la *Loi constitutionnelle de 1982*.

La *Loi sur les droits fondamentaux du Québec* n'a toutefois pas de caractère constitutionnel ou quasi constitutionnel. Elle n'est pas assujettie à une procédure spéciale de modification, ni ne prévoit que ses dispositions ont préséance sur d'autres dispositions législatives. Mais, en affirmant qu'« [a]ucun autre Parlement ou gouvernement ne peut réduire les pouvoirs, l'autorité, la souveraineté et la légitimité de l'Assemblée nationale ni contraindre la volonté démocratique du peuple québécois à disposer lui-même de son avenir », l'article 13 de cette loi semble vouloir priver d'effet des actes du Parlement ou du gouvernement du Canada et imposer ainsi une préséance de l'ordre juridique québécois sur l'ordre juridique fédéral. La *Loi sur les droits fondamentaux du Québec* est dans ce sens sur une voie de collision avec la *Loi sur la clarté*[121]. Alors que cette dernière définit implicitement les modalités de l'exercice du droit du Québec de choisir son régime politique et son statut juridique, la *Loi sur les droits fondamentaux du Québec* affirme que ces modalités sont du seul ressort du Québec.

Pendant les travaux de la Commission des institutions de l'Assemblée nationale du Québec, plusieurs intervenants constatent l'allure constitutionnelle de ce texte et plaident pour que la *Loi sur les droits fondamentaux du Québec* soit transformée en véritable constitution du Québec. J'invite moi-même le gouvernement à profiter de l'occasion pour faire voter par l'Assemblée nationale une loi fondamentale du Québec[122]. Le journaliste Michel Venne initie également un débat sur la constitution du Québec[123] et plusieurs articles sont publiés dans les pages du journal *Le Devoir* sur le sujet au printemps 2000[124]. Mais le gouvernement du Québec présente une nouvelle version du projet de loi n° 99 le 19 avril 2000 sans aller jusqu'au bout de la logique constitutionnelle que comporte pourtant son initiative visant à consacrer les droits fondamentaux et les prérogatives du peuple québécois et de l'État du Québec. L'adoption de la *Loi sur les droits fondamentaux du Québec* le 7 décembre 2000 et son entrée en vigueur le 28 février 2001 passeront d'ailleurs plutôt inaperçues.

Les débats sur l'avenir politique et constitutionnel du Québec entre 1990 et 2000 ont légué l'esquisse d'une constitution pour le Québec. La *Loi sur les droits fondamentaux du Québec* s'ajoute ainsi aux lois fondamentales dont son préambule affirme l'existence et constitue sans doute la plus fondamentale des lois québécoises. Cette loi ne semble toutefois pas avoir laissé sa marque dans le paysage québécois et c'est sans doute la raison pour laquelle d'autres plaidoyers pour une constitution du Québec se font entendre et que le débat se poursuit encore aujourd'hui. Dans cette perspective, le rôle de la constitution du Québec dans le débat national demeure aussi pertinent et rend utile la formulation d'un projet de constitution du Québec.

DEUXIÈME PARTIE

UN PROJET DE CONSTITUTION DU QUÉBEC : DU RÔLE DE LA CONSTITUTION DU QUÉBEC DANS LE DÉBAT NATIONAL

Bien que certaines voix se soient fait entendre sur la question d'une constitution pour le Québec depuis l'adoption de la *Loi sur les droits fondamentaux*[125], le développement le plus significatif s'est produit dans le cadre des États généraux sur la réforme des institutions démocratiques. Mis sur pied par le gouvernement du Québec en 2002, ces États généraux vise à libérer la parole citoyenne, inciter les populations régionales à faire connaître leurs attentes pour que s'exprime une volonté nationale. Ainsi, la question d'une constitution est donc évoquée lors des États généraux qui se tiennent les 21, 22 et 23 février 2003. Lors des États généraux, les participants sont invités à répondre à la question suivante :

Question 2

> Êtes-vous favorable à ce que les réformes que pourraient proposer les États généraux conduisent éventuellement à une constitution québécoise (loi fondamentale)?[126]

À cette question, 82 % des participants répondent par l'affirmative le 23 février 2003[127]. Faisant fond sur cet appui, le Comité directeur de la réforme des institutions démocratiques retient l'idée de doter le Québec de sa propre constitution. Après avoir indiqué qu'il considère que « l'adoption d'une constitution du Québec est une action primordiale qui favorisera l'épanouissement démocratique en élargissant le champ de conscience et le champ de connaissances des pratiques démocratiques, permettant ainsi au citoyen d'assumer ses droits et responsabilités avec plus de maturité[128] », il formule en ces termes sa recommandation sur ce sujet :

Recommandation 2

Le Comité directeur recommande :

Que toute mesure relative à la forme du gouvernement, aux rapports entre les gouvernants et les gouvernés, et quant à l'organisation des institutions démocratiques soit insérée dans une loi fondamentale, votée par l'Assemblée nationale et confirmant la décision populaire exprimée par référendum.

Que les lois fondamentales soient réunies dans une Constitution du Québec, cette constitution devant être approuvée ou amendée par une majorité de citoyennes et de citoyens à l'occasion d'un référendum[129].

La recommandation des États généraux de doter le Québec de sa propre constitution ne semble toutefois pas avoir la faveur du gouvernement du Parti libéral du Québec depuis l'élection du 14 avril 2003 et la réunion des lois fondamentales dans une *Constitution du Québec* ne semble pas non plus être envisagée. S'agissant de la réforme des institutions démocratiques, le gouvernement se contente d'une réforme visant à rendre l'Assemblée nationale plus représentative et accessible ainsi que le vote plus facile à exercer[130]. Il dépose à cette fin, le 15 décembre 2004, un avant-projet de *Loi sur la réforme électorale*[131].

La place d'une future constitution du Québec continue d'être au centre des débats au sein des partis politiques[132]. Au Parti Québécois[133], les débats de la Saison des idées gravitent d'ailleurs autour du rôle de la constitution[134], notamment en raison des vues exprimées sur cette question par le directeur de l'*Action nationale,* Robert Laplante[135], ainsi que par l'ancien premier ministre du Québec, Jacques Parizeau[136].

Les consultations effectuées par le chantier Pays ainsi que les délibérations de ses membres conduisent à l'adoption d'un rapport qui propose de faire jouer un rôle central à un projet de constitution du Québec dans la démarche d'accession sur la souveraineté[137]. Le conseil exécutif national du Parti Québécois traduit les recommandations du chantier Pays dans une proposition d'amendement global au programme du Parti Québécois qui réserve une place de choix à la constitution du Québec[138]. Le débat sur cette proposition est maintenant amorcé au sein des instances du Parti Québécois et la place de la constitution du Québec dans la démarche d'accession du Québec à la souveraineté fera l'objet de discussions jusqu'au congrès national du Parti Québécois des 3, 4 et 5 juin 2005.

Pour alimenter ce débat et pousser plus loin une réflexion que j'ai amorcée en 1995 sur la question de la constitution du Québec[139], je me propose de présenter mes vues sur la constitution du Québec et d'inscrire cette question dans le processus d'accession à la souveraineté, et plus largement dans le débat national sur l'avenir du Québec.

Au lendemain d'une élection où les Québécoises et les Québécois auront donné au gouvernement du Québec le mandat de faire accéder le Québec à la souveraineté, je propose de faire jouer à la constitution un rôle central. Le temps est venu de donner à une constitution québécoise une place de choix dans cette démarche et de poser un geste de souveraineté en faisant adopter celle-ci par l'Assemblée nationale.

Ce geste doit par ailleurs s'inscrire dans une série de gestes de souveraineté parlementaire et populaire devant conduire à l'accession du Québec à l'indépendance nationale. Au lendemain de l'acquisition par le Québec de son statut de pays, des gestes de souveraineté nationale et internationale devront être également être posés. Pour bien comprendre la place que je propose de donner à la constitution du Québec dans le processus d'accession du Québec à la souveraineté, j'ai préparé un tableau qui présente une séquence des gestes de souveraineté et que je reproduis à l'annexe 1.

Ces gestes pourraient d'ailleurs être annoncés par le premier ministre désigné du Québec dans une *Adresse au peuple du Québec* dans les heures qui suivent l'élection d'un nouveau gouvernement. La lecture de cette adresse donnerait le coup d'envoi à une série de gestes devant être posés pour concrétiser l'intention du gouvernement du Québec de faire accéder le Québec à la souveraineté et à l'indépendance.

Si l'*Adresse au peuple du Québec* décrit de façon générale des gestes de souveraineté que le gouvernement entend poser, c'est le discours d'ouverture qui doit les présenter de façon plus détaillée et arrêter la séquence dans laquelle l'Assemblée nationale du Québec et les autres institutions québécoises seront invitées par le gouvernement à poser de tels gestes.

Le premier geste de souveraineté parlementaire sera la présentation d'un projet de *Constitution initiale du Québec*. La présentation de ce projet de *Constitution initiale* marquera ainsi le départ du processus visant à mettre en place le cadre constitutionnel et l'appareil législatif du futur État souverain du Québec. Comme je le suggère en présentant le contenu de ce projet de *Constitution initiale*, une série de lois fondamentales l'accompagneront et seront adoptées pour assurer qu'au jour premier de l'indépendance nationale le Québec puisse fonctionner comme État souverain. Dans cette perspective, l'on doit envisager entre autres la présentation d'un projet de *Loi sur les institutions du Québec*, comportant notamment des dispositions sur la présidence du Québec et le Tribunal suprême du Québec, d'une *Loi sur la citoyenneté nationale*, d'une *Loi sur les symboles nationaux*, d'une *Loi sur la continuité des pensions, des permis et des contrats* et d'une *Loi sur les relations extérieures et la sécurité internationale*.

Par ailleurs, dans les débats qui ont cours actuellement au Parti Québécois en vue du congrès de juin 2005, quatre jeunes députés, forts de l'appui de plusieurs membres, font la promotion de l'idée d'une initiative populaire comme véhicule privilégié pour que les Québécoises et les Québécois puissent initier eux-mêmes le référendum en faveur de la souveraineté politique[140]. Cette proposition revêt un intérêt dans la mesure où elle privilégie une démarche citoyenne dans le processus d'accession à la souveraineté est susceptible de s'intégrer dans les gestes de souveraineté que je propose ci-après. L'adoption d'une *Loi sur l'accession du Québec à la souveraineté* pourrait dès lors être envisagée.

Au lendemain du vote favorable à la souveraineté politique, qui aura fait l'objet d'une surveillance par un comité d'observateurs de la communauté internationale[141], je propose par ailleurs que soit entreprise une démarche visant à doter le Québec d'une constitution définitive et permanente. Une *Constitution nationale* se substituera alors à la *Constitution initiale* au terme d'un processus associant le peuple du Québec à son élaboration et à son approbation.

Je suggère dès lors que le gouvernement du Québec présente à l'Assemblée nationale le texte d'un projet de *Constitution initiale du Québec* qui enchâssera l'acquis constitutionnel et sera adopté par la voie parlementaire (Chapitre 1) et que cette *Constitution initiale* soit transformée en une *Constitution nationale du Québec* qui permettra un renouveau constitutionnel et résultera d'une démarche citoyenne (Chapitre 2).

CHAPITRE 1

L'ACQUIS CONSTITUTIONNEL ET LA VOIE PARLEMENTAIRE : DE LA *CONSTITUTION INITIALE* ET DE L'ASSEMBLÉE NATIONALE

Dans les travaux qui ont été effectués par les diverses commissions sur l'avenir du Québec ainsi que dans les programmes et documents issus des partis politiques et des gouvernements du Québec, il a été question de doter d'abord le Québec d'une constitution transitoire ou provisoire et de faire adopter ensuite une constitution définitive ou permanente. Cette distinction me semble toujours valable, mais je propose de qualifier la constitution dont la vocation est transitoire et provisoire de *Constitution initiale*[142] et celle qui aura une portée définitive et permanente de *Constitution nationale*.

À la différence du processus qui était privilégié dans le projet de *Loi sur l'avenir du Québec*, je considère que la *Constitution initiale* doit être adoptée par l'Assemblée nationale avant la consultation populaire sur la souveraineté du Québec et doit être mise en vigueur après le référendum, immédiatement après la déclaration de souveraineté. Je propose qu'elle enchâsse, pour l'essentiel, l'acquis constitutionnel (Section 1) et qu'elle soit adoptée par la voie parlementaire (Section 2).

Section 1

L'acquis constitutionnel : du contenu de la *Constitution initiale*

Pour illustrer le contenu possible d'une *Constitution initiale du Québec*, j'ai préparé un projet de texte qui est joint à l'annexe 2. Je suis d'avis que l'Assemblée nationale doit adopter une *Constitution initiale*, allant à l'essentiel et étant plus courte, plutôt qu'un texte constitutionnel définitif, de nature détaillée et nécessairement plus long. Je considère de plus que cette *Constitution initiale* doit enchâsser l'acquis constitutionnel en garantissant les droits existants et en reconduisant, pour l'essentiel, les institutions actuelles.

Dans cette perspective, la *Constitution initiale* garantit les droits et libertés dont jouissent les Québécoises et les Québécois ainsi que les droits des personnes appartenant à la communauté anglophone et les droits reconnus aux nations autochtones. Elle reconduit par ailleurs les institutions québécoises actuelles et n'apporte pas de modifications substantielles au régime parlementaire. C'est au lendemain de l'accession du Québec à l'indépendance nationale et à l'occasion du processus conduisant à l'adoption de la *Constitution nationale* que pourra véritablement se faire le renouveau constitutionnel.

Mon projet de *Constitution initiale du Québec* comporte un court préambule et sept titres : *Du Québec*, *De la citoyenneté nationale du Québec*, *Des devoirs et droits fondamentaux au Québec*, *Des institutions démocratiques du Québec*, *Des relations internationales du Québec*, *De la Constitution nationale du Québec* et *Dispositions transitoires et finales*.

Le préambule comporte deux considérants. Le premier affirme que le Québec est libre d'assumer son propre destin, de déterminer son statut politique et d'assurer son développement. Son contenu s'inspire d'une série de lois québécoises qui ont affirmé cette liberté dans leur préambule[143]. Le deuxième considérant réfère quant à lui à l'existence de la nation québécoise[144], à la reconnaissance des nations autochtones[145], à l'identité de la communauté anglophone[146] et à l'apport, au développement du Québec, des minorités ethniques[147].

Le titre I intitulé « Du Québec » comporte un article dont le premier alinéa déclare que « [l]e Québec est un pays souverain et indépendant » et décrit ainsi le nouveau statut politique du Québec. Ce premier article vise également à énumérer certains attributs fondamentaux du nouveau pays. Ainsi, par ses alinéas 2 et 3, le Québec se qualifie de société libre et démocratique et comme un État de droit[148]. Dans son quatrième alinéa, il est également affirmé, pour faire fond sur la *Charte de la langue française* et pour rappeler l'importance que revêt la culture, que « [l]e Québec est un pays de langue française et assure la protection et le développement de la culture québécoise ». En raison de l'importance qui doit être donnée aux principes du développement humain et du développement durable, l'alinéa 4 de l'article premier contient un engagement à leur égard. La *Constitution initiale* affirme ainsi que le Québec s'engage sur la voie du développement humain, tel qu'il a été défini par le Programme des Nations Unies sur le développement[149], de même que sur celle du développement durable, comme le gouvernement du Québec a d'ailleurs dit vouloir le faire dans le rapport qu'il a présenté lors du Sommet mondial sur le développement durable de Johannesbourg en 2002[150] et dont il entend mettre en œuvre le principe dans une loi de l'Assemblée nationale[151].

Le titre II porte sur la citoyenneté nationale du Québec et l'article 2 institue une citoyenneté nationale[152]. Cette disposition prévoit d'abord que toute personne domiciliée au Québec au moment de l'entrée en vigueur de la *Constitution initiale* obtient la nouvelle citoyenneté nationale du Québec. Il est également prévu que la citoyenneté nationale puisse être obtenue dans d'autres cas et aux conditions prévus par la loi. Ainsi donc, il faut prévoir adopter une *Loi sur la citoyenneté nationale* afin de définir les autres conditions d'acquisition de cette citoyenneté nationale qui pourra être cumulée avec toute autre citoyenneté ou nationalité.

Le titre III traite des droits fondamentaux au Québec. Le premier alinéa de l'article 3 incorpore les articles 1 à 56 de la *Charte des droits et libertés* dans la *Constitution initiale.* Cet article a d'ailleurs comme effet de constitutionnaliser des droits qui n'ont actuellement qu'un caractère quasi constitutionnel, et en particulier les droits économiques et sociaux. Une telle constitutionnalisation répond à une demande formulée récemment par la Commission des droits de la personne et de la jeunesse du Québec[153].

Il est également opportun de garantir, dans ce titre III, les droits fondamentaux des nations autochtones et de la communauté anglophone. Ainsi, l'alinéa 2 de l'article 3 reconnaît et garantit les droits existants, ancestraux ou issus des traités, des nations autochtones du Québec. Il accorde une protection analogue aux droits issus des traités qui seront conclus après l'entrée en vigueur de la *Constitution initiale du Québec*. Cet alinéa constitutionnalise le droit des nations autochtones de se gouverner sur des terres leur appartenant en propre et de participer au développement du Québec qui leur a été reconnu dans les motions adoptées par l'Assemblée nationale du Québec.

L'alinéa 3 de l'article 3 reconnaît quant à lui les droits de la communauté anglophone ainsi qu'aux personnes appartenant à cette communauté. Son libellé s'inspire de celui de l'article 78 de la *Charte de la langue française*. Ainsi, il est d'abord garanti à la communauté anglophone un droit de gestion à l'égard des établissements qui offrent un enseignement aux niveaux primaire et secondaire en anglais. De plus, est également garanti le droit à une instruction en langue anglaise au Québec en conformité avec la législation du Québec en vigueur.

Le titre IV traite des institutions démocratiques du Québec. S'agissant des institutions parlementaires et gouvernementales du Québec, les alinéas 1 à 3 de l'article 4 du projet de *Constitution initiale du Québec* proposent de maintenir le système existant, si ce n'est qu'elle propose l'institution d'une présidence du Québec dont le mode de désignation et les pouvoirs seront prévus par la loi. Je suggère à cet égard que la présidence du Québec soit élue par l'Assemblée nationale et que lui soit transférés les pouvoirs du lieutenant-gouverneur. Des dispositions sur la présidence devront être prévues dans une *Loi sur les institutions du Québec* pour préciser le mode de désignation de la présidence ainsi que son organisation. Pour ce qui est des institutions judiciaires, l'alinéa 4 de l'article 4 propose d'instituer un Tribunal suprême du Québec et d'adopter également des dispositions relatives aux modes de désignation de ses juges ainsi que l'organisation du nouveau Tribunal dans la même *Loi sur les institutions du Québec*. Cette loi est celle à laquelle réfère l'alinéa 3 de l'article 7 de la *Constitution initiale du Québec* et qui vise à assurer la continuité des cours et tribunaux du Québec, dont les activités continueraient d'être régies notamment par la *Loi sur les tribunaux judiciaires*[154] et la *Loi sur la justice administrative*[155].

Le titre V concerne les relations internationales du Québec. Le premier alinéa de l'article 5 assure la continuité des obligations internationales et prévoit, comme le faisait l'article 15 du projet de *Loi sur l'avenir du Québec*, que « [c]onformément aux règles du droit international, le Québec assume les obligations et jouit des droits énoncés dans les engagements internationaux auxquels le Canada ou le Québec est partie ». Le deuxième alinéa consacre quant à lui le pouvoir du gouvernement de conclure tout engagement international et d'assurer sa représentation auprès des peuples, des États et des institutions internationales. Le renvoi à cette loi a notamment pour effet de reconduire la procédure permettant à l'Assemblée nationale d'approuver au préalable des engagements internationaux importants. S'agissant du pouvoir de représentation du gouvernement du Québec, le libellé du deuxième alinéa est similaire à celui de l'alinéa 3 de l'article 7 de la *Loi sur les droits fondamentaux du Québec*. Il faudra toutefois songer à adopter une *Loi sur les relations extérieures et la sécurité internationale* et autoriser notamment la transformation des délégations et bureaux en ambassades et consulats ainsi que l'ouverture de nouvelles représentations auprès des peuples, des États et des institutions internationales auprès desquels le Québec n'est pas encore représenté.

C'est aussi dans ce titre V qu'il est prévu que le gouvernement du Québec s'engage à négocier avec le Canada un accord international relatif à la libre circulation des personnes, biens, services et capitaux. Ainsi, en insérant une telle disposition dans sa *Constitution initiale*, le Québec exprime sa volonté d'assurer une telle liberté de circulation. En raison de l'importance de cet accord international, le gouvernement du Québec doit s'engager également à soumettre celui-ci à l'approbation de l'Assemblée nationale du Québec.

Le titre VI traite de la *Constitution nationale du Québec*. Aux fins de la rédaction d'une *Constitution nationale*, l'alinéa 1er de l'article 6 institue une Assemblée constituante du Québec. Cette assemblée constituante est chargée de rédiger la *Constitution nationale du Québec*. Je propose que l'Assemblée constituante soit composée, pour moitié, de l'ensemble des députés de l'Assemblée nationale du Québec et des députés de la Chambre des communes du Canada représentant une circonscription électorale située au Québec, et pour l'autre moitié, de personnes élues. L'élection de ces derniers membres se fera au suffrage universel, selon un système de représentation proportionnelle ayant comme objectif la parité hommes-femmes et une meilleure représentation des Québécoises et des Québécois d'origines et de milieux divers. Une telle volonté de parité et de diversité était prévue pour la commission constituante dont l'article 6 du projet de *Loi sur l'avenir du Québec* prévoyait la mise sur pied.

Selon l'alinéa 2 de l'article 6, les travaux de l'Assemblée constituante devront être organisés de manière à favoriser la plus grande participation possible des citoyens du Québec. L'organisation de l'Assemblée constituante sera prévue par la *Loi sur l'Assemblée constituante du Québec*. Des développements additionnels sur l'Assemblée constituante et la loi visant à l'instituer sont présentés dans le prochain chapitre.

Le titre VII contient quant à lui des dispositions transitoires et finales. Le premier alinéa assure la continuité des lois et prévoit que la législation du Québec et du Canada demeure en vigueur dans la mesure où elle n'est pas contraire à la *Constitution initiale du Québec*. Il semble utile de référer à la *Charte de la langue française* et de souligner ainsi la volonté de préserver les droits linguistiques qui y sont reconnus. Le deuxième alinéa porte sur les symboles nationaux et invite le Parlement du Québec à adopter une *Loi sur les symboles nationaux* qui permette la présentation et la diffusion de l'ensemble des symboles nationaux au moment de l'accession du Québec à la souveraineté[156]. Le deuxième alinéa de l'article 7 prévoit quant à lui la continuité des pensions, prestations, permis et contrats et suppose l'adoption d'une *Loi sur la continuité des pensions, prestations, permis et contrats* dont le contenu pourra s'inspirer des articles 18 à 22 du projet de *Loi sur l'avenir du Québec*.

Les troisième et quatrième alinéas traitent de la suprématie et de l'entrée en vigueur de la *Constitution initiale du Québec*. S'agissant de la suprématie, il est prévu que les dispositions de la *Constitution initiale du Québec* l'emportent sur toutes règles de droit qui leur sont incompatibles. Quant à l'entrée en vigueur de la *Constitution initiale*, le dernier alinéa de l'article 7 prévoit que celle-ci entre en vigueur au moment de sa promulgation par l'Assemblée nationale.

Section 2

La voie parlementaire : de l'élaboration de la *Constitution initiale*

Aux fins de l'examen d'un projet de *Constitution initiale*, je propose de choisir la voie parlementaire dans la mesure où les changements proposés visent à enchâsser, durant la période de transition, l'acquis constitutionnel plutôt qu'à procéder à un renouveau constitutionnel. Je favorise l'institution à cette fin d'une commission spéciale de l'Assemblée nationale qui pourrait être dénommée « Commission de la Constitution ». Un tel geste ferait ainsi revivre la commission instituée à la fin des années soixante, mais dont les travaux n'ont pu mener à l'adoption d'une constitution interne du Québec[157].

Cette Commission de la Constitution examinera le projet de *Constitution initiale du Québec* présenté à l'Assemblée nationale par le gouvernement dès la prise du pouvoir. Les travaux de la Commission de la Constitution seront de nature essentiellement technique et législative. Elle procédera à des consultations particulières auprès de groupes et d'experts de façon à assurer que le texte de la *Constitution initiale* enchâsse convenablement l'acquis constitutionnel et comporte les dispositions appropriées pour faciliter la transition du Québec au statut de pays. Il ne sera pas nécessaire d'entreprendre de vastes consultations publiques, mais il sera utile que la Commission commande des études et prépare des notes explicatives pour vulgariser le contenu du texte de la *Constitution initiale* et en assurer une bonne compréhension.

S'agissant de la composition de la Commission de la Constitution, le modèle de la commission Bélanger-Campeau s'avère une source d'inspiration. Ainsi, la Commission sera composée de députés émanant de l'Assemblée nationale, mais également, comme ce fut le cas pour la commission Bélanger-Campeau, de députés de la Chambre des communes représentant une circonscription électorale située au Québec. Ainsi, l'on pourra envisager une commission composée de 21 membres, comprenant le premier ministre, le chef de l'opposition officielle et dix-neuf députés, dont neuf députés du parti gouvernemental, cinq députés du parti de l'opposition officielle, deux députés d'autres partis représentés dans l'opposition et trois députés de la Chambre des communes du Canada représentant une circonscription électorale située au Québec.

Si le texte de la *Constitution initiale du Québec* enchâsse l'acquis constitutionnel et reconduit pour l'essentiel le régime politique existant, l'élaboration d'une *Constitution nationale du Québec* ouvre la voie à un renouveau constitutionnel plus en profondeur et implique une démarche citoyenne.

CHAPITRE 2

LE RENOUVEAU CONSTITUTIONNEL ET LA DÉMARCHE CITOYENNE : DE LA *CONSTITUTION NATIONALE DU QUÉBEC* ET DE L'ASSEMBLÉE CONSTITUANTE

Le choix librement exprimé des Québécoises et des Québécois en faveur de la souveraineté du Québec donnera au gouvernement toute la légitimité pour faire accéder le Québec à la souveraineté. L'Assemblée nationale doit par ailleurs jouer un rôle déterminant dans la naissance du pays du Québec. Je propose dès lors que le premier ministre du Québec convoque l'Assemblée nationale en session extraordinaire dans les heures qui suivront la consultation populaire et qu'il saisisse celle-ci d'une déclaration de souveraineté qui sera l'acte fondateur de l'État québécois.

Cette déclaration de souveraineté doit également être suivie d'un certain nombre de gestes. L'Assemblée nationale promulguera et fera entrer en vigueur la *Constitution initiale* ainsi que la *Loi sur les institutions du Québec*. L'Assemblée nationale verra également à l'élection de la présidence du Québec ainsi qu'à l'élection des juges du Tribunal suprême du Québec selon les modalités qui auront été prévues dans la *Loi sur les institutions du Québec*. Les autres lois fondamentales adoptées par l'Assemblée nationale visant à donner effet au nouveau statut d'État souverain et indépendant du Québec pourront alors être promulguées par la nouvelle présidence du Québec.

Des gestes de souveraineté internationale devront être posés et des initiatives devront être prises par le gouvernement, et notamment par le ministre des Relations extérieures et de la Sécurité internationale, en vue de la reconnaissance internationale du Québec par les États et son admission au sein des institutions internationales. Un programme d'ouverture d'ambassades et de consulats et de missions permanentes sera mis en œuvre. Le Québec entreprendra, comme le prévoit la *Constitution initiale*, la négociation avec le Canada d'un accord international relatif à la liberté de circulation des personnes, biens, services et capitaux. Cette négociation sera placée sous l'égide d'un comité des négociateurs du Québec qui fera rapport de l'évolution des négociations à l'Assemblée nationale.

Le principal geste de souveraineté nationale sera celui de doter le Québec d'une *Constitution nationale*. Celle-ci pourra retenir certains éléments de la *Constitution initiale*, mais donnera aussi lieu à la formulation de propositions visant à modifier un régime constitutionnel qui a été imposé au Québec à travers les siècles et qui n'a jamais véritablement répondu à ses aspirations. Je propose que ce processus ait comme objectif le renouveau constitutionnel (Section 1) et qu'il implique une démarche citoyenne (Section 2).

Section 1

Le renouveau constitutionnel : du contenu de la *Constitution nationale*

La rédaction d'une *Constitution nationale* permettra au peuple du Québec de se donner la constitution de son choix et d'énoncer les valeurs qui guideront les Québécoises et les Québécois dans leur nouveau pays. Elle dotera l'État du Québec d'une nouvelle architecture institutionnelle qui enrichira et protégera mieux que jamais les droits fondamentaux des personnes et collectivités qui forment le Québec. J'ai préparé un projet de *Constitution nationale du Québec* qui est joint à l'annexe 3.

Le projet de *Constitution nationale du Québec* que j'ai rédigé reprend largement les termes de la *Constitution initiale*. Bien qu'il soit un peu plus long que la *Constitution initiale*, j'ai choisi la concision plutôt que la prolixité pour la *Constitution nationale*[158]. Celle-ci ne comporte que 30 articles et une telle concision est rendue possible par le choix de la loi comme moyen de compléter et préciser les dispositions du texte constitutionnel[159].

Précédé d'un extrait du poème *Compagnon des Amériques* de Gaston Miron tenant lieu de récit fondateur[160], le préambule de la *Constitution nationale du Québec* reprend les deux considérants de la *Constitution initiale*. Y sont ajoutés des considérants sur les devoirs et droits fondamentaux de la personne et des collectivités qui se déclineront dans une charte incorporée au texte de la *Constitution nationale.* L'inclusion d'une référence au développement humain et au développement durable est également proposée et se traduit par un engagement constitutionnel fondé sur un développement ayant de telles caractéristiques.

Le préambule rappelle aussi l'importance de contribuer à une mondialisation équitable, de respecter les règles du droit international, d'assurer le règlement pacifique des différends internationaux, de coopérer avec les institutions internationales, de participer par sa culture et par son combat pour la diversité culturelle à l'enrichissement du patrimoine de l'Humanité. Le préambule souligne enfin que l'État du Québec est fondé sur des assises qu'il a enrichies au cours des ans par l'adoption de la *Constitution initiale du Québec* et plusieurs lois fondamentales et par la création d'institutions démocratiques qui lui sont propres.

Dans la *Constitution nationale du Québec*, il y a lieu d'enrichir le titre *Du Québec.* Après avoir repris dans l'article premier les dispositions de la *Constitution initiale* sur les valeurs et principes et sur la citoyenneté nationale, je propose d'ajouter des dispositions sur le territoire, le patrimoine, la capitale, la langue et les symboles du Québec.

Ainsi, des dispositions sur le territoire national trouvent leur place dans la *Constitution nationale.* Aux dispositions générales relatives au territoire du Québec, et notamment celles portant sur son intégrité territoriale, contenues dans le projet de *Loi sur l'avenir du Québec*[161], il est essentiel d'affirmer à l'article 3 que le Québec exerce des compétences sur l'ensemble de son territoire terrestre, maritime et aérien à l'égard duquel il détient comme État souverain une compétence pleine et entière. La *Constitution nationale* doit préciser par ailleurs que la compétence du Québec s'étendra aux espaces adjacents à ses côtes, conformément au droit international, et que celui-ci l'investira dorénavant, en sa qualité d'État souverain, d'une compétence sur les ressources d'une zone économique exclusive de 200 milles marins et de son plateau continental[162].

Un article sur le patrimoine du Québec vise à assurer la pérennité de ce patrimoine et le met à l'abri d'actions qui pourraient le mettre en péril. L'importance que doit revêtir le patrimoine dans l'avenir du Québec justifie d'imposer aux institutions du Québec, comme le fait l'article 4 du projet de *Constitution nationale*, l'obligation de protéger et de promouvoir le patrimoine national archéologique, architectural, archivistique, artistique, ethnologique et historique. Il est proposé qu'une loi précise d'ailleurs les modalités de préservation, de protection et de promotion du patrimoine du Québec.

À son article 5, le projet de *Constitution nationale* consacre la ville de Québec comme capitale nationale. On peut d'ailleurs envisager de donner à la capitale nationale un statut d'autonomie au sein de l'État québécois à la manière des capitales des États-Unis d'Amérique (Washington) et de l'Australie (Canberra) et de prévoir qu'un tel statut soit consacré dans une loi dont la constitution prévoit d'ailleurs l'adoption[163].

L'article 6 de la *Constitution nationale* contient quant à lui une disposition unique déclarant le français langue nationale du Québec. Ainsi, de langue officielle et commune, la langue française devient la langue nationale et sa promotion ainsi que sa protection doivent être prévues par la loi.

L'article 7 constitutionnalise les symboles nationaux et reprend les dispositions générales de la *Loi sur les symboles nationaux* adoptée à titre de loi fondamentale avant l'accession du Québec à la souveraineté. S'agissant de l'hymne national, je suggère de retenir le chant *Gens du Pays* de Gilles Vigneault et d'y incorporer d'ailleurs les paroles dans un appendice et d'y ajouter aussi, lorsque les auteurs y auront consenti, la partition musicale de façon à ce que la *Constitution nationale du Québec* soit la seule et unique constitution au monde comportant des notes de musique[164].

Le titre *Du Québec* est suivi d'un titre important sur le développement humain et le développement durable. Je propose que soient ainsi enchâssées dans la *Constitution nationale* des dispositions créant une obligation constitutionnelle pour les institutions du Québec d'agir dans le respect des principes du développement humain et du développement durable. Ces dispositions viennent expliciter l'engagement contenu dans le préambule de la *Constitution initiale* et repris dans celui de la *Constitution nationale.* S'agissant du développement humain, l'article 8 vise à enchâsser le « processus d'élargissement des choix d'ordre économique, social, politique et culturel ». La constitutionnalisation du développement durable est destinée quant à elle à engager le Québec dans un « processus continu d'améliorations des conditions d'existence des populations actuelles qui ne compromet pas la capacité des générations futures de faire de même et qui intègre harmonieusement les dimensions environnementale, sociale et économique du développement[165] ».

Je propose que soient incluses au troisième titre de la *Constitution nationale* les dispositions générales relatives aux droits fondamentaux, mais que le catalogue des devoirs et droits fondamentaux soit présenté dans l'annexe de la *Constitution nationale*[166].

Ainsi, dans le corps de la constitution, j'inclus d'abord un article 9 visant à constitutionnaliser les droits garantis par la *Charte québécoise des devoirs et droits fondamentaux.* L'article 10 se présente sous la forme d'une clause de limitation prévoyant que les droits fondamentaux ne peuvent être restreints que par une règle de droit, dans des limites qui soient raisonnables et dont la justification puisse se démontrer dans le cadre d'une société libre et démocratique. Une clause de dérogation trouve sa place à l'article 11 du projet de *Constitution nationale.* Pour se conformer à ses engagements internationaux et respecter notamment l'article 4 du *Pacte international relatif aux droits civils et politiques*[167], cette clause de dérogation n'autorise toutefois pas l'adoption d'une loi dérogeant aux droits reconnus comme intangibles par ce pacte et qui se voient ainsi attribuer le même caractère impératif par la *Charte québécoise des droits fondamentaux*[168]. Comme le prévoit l'alinéa 2 de l'article 15 de la *Constitution initiale*, le Parlement du Québec ne pourra d'ailleurs adopter une telle loi de dérogation qu'à la majorité des deux tiers de ses membres présents.

La *Charte québécoise des devoirs et droits fondamentaux* se retrouvant à l'annexe de la *Constitution nationale* reprend pour l'essentiel le texte de la *Charte des droits et libertés*, mais innove sur plusieurs aspects[169]. Dans un titre préliminaire et après avoir affirmé, comme le fait l'article 1er de la *Déclaration universelle des droits de l'Homme*, que tous les êtres humains naissent libres et égaux en dignité et en droits, des devoirs fondamentaux sont décrits dans le premier article de la charte. Il est également rappelé que ces êtres humains sont doués de raison et de conscience et doivent agir les uns envers les autres dans un esprit de fraternité et de sororité. Il est ajouté que l'individu a des devoirs envers les personnes ainsi qu'à l'égard des collectivités au sein desquelles seul le libre et plein développement de sa personnalité est possible.

La nouvelle charte contient par ailleurs deux grands titres, le premier relatif aux droits fondamentaux des personnes, le second relatif aux droits fondamentaux des collectivités.

Le titre relatif aux droits fondamentaux des personnes se divise en une partie garantissant des droits civils, judiciaires, politiques et écologiques. Le deuxième chapitre enchâsse les droits économiques, sociaux, linguistiques et culturels. Ces deux chapitres reprennent, en les regroupant, les articles 1 à 48 de la *Charte des droits et libertés*, et incluent des garanties judiciaires applicables en matière criminelle.

Cette nouvelle charte québécoise constitutionnalise quelques droits nouveaux. Ainsi en est-il du droit « écologique » selon lequel « [t]oute personne a droit de vivre dans un environnement sain et respectueux de la biodiversité » garanti à l'article 16 de la nouvelle charte. Les articles 20 à 22 de la nouvelle charte constitutionnalisent, comme le suggère la Commission des États généraux sur la langue française, les droits linguistiques fondamentaux[170]. Inspiré par l'article 13 de la *Charte des droits fondamentaux de l'Union européenne*, l'article 26 garantit quant à lui « la liberté de la recherche académique » et affirme que « les arts et la recherche scientifique sont libres ». L'innovation résulte également du fait que les droits économiques, sociaux, linguistiques et culturels ont dorénavant un caractère « sanctionnable » en raison de la suppression des clauses d'exclusion rendant de tels droits conditionnels à leur reconnaissance par la loi et qu'il serait donc possible pour un juge d'exiger le respect de ces droits même si leur existence n'est pas prévue dans d'autres lois[171].

La nouvelle *Charte québécoise des droits fondamentaux* contient par ailleurs un titre sur les droits fondamentaux des collectivités. Elle enchâsse ainsi dans la *Constitution nationale du Québec* les droits appartenant aux nations autochtones et à la communauté anglophone. Ainsi, l'article 26 de la nouvelle charte reprend les dispositions de la *Constitution initiale* et garantit non seulement les droits existants, ancestraux ou issus des traités, des nations autochtones du Québec, mais également les droits issus des traités conclus ultérieurement à l'entrée en vigueur de la *Constitution nationale du Québec*. Elle rappelle en outre que les nations autochtones ont le droit d'utiliser, de développer, de revitaliser et de transmettre aux générations futures leurs traditions orales, religieuses et culturelles. Elle définit l'autonomie gouvernementale des nations autochtones comme le droit d'avoir et de contrôler, dans le cadre d'ententes avec le gouvernement du Québec, des institutions qui correspondent à leurs besoins dans les domaines de la culture, de l'éducation, de la langue, des services sociaux et du développement économique.

Les articles 28 et 29 confirment également les droits de la communauté anglophone enchâssés dans la *Constitution initiale*. L'article 28 reconnaît ainsi à la communauté anglophone le droit à la préservation et au libre développement de ses institutions ainsi qu'à son identité historique, linguistique et culturelle. La communauté anglophone se voit également garantir un droit de gestion à l'égard des établissements d'enseignement qui offrent un enseignement de niveaux primaire et secondaire en anglais et des établissements publics qui dispensent en langue anglaise un service d'intérêt général éducatif, sanitaire, religieux ou culturel.

De la même façon que la *Charte québécoise des droits fondamentaux* impose en son article premier des devoirs aux personnes, son article 30 rappelle aux collectivités leur devoir d'exercer leurs droits fondamentaux dans le respect de la

Constitution nationale du Québec ainsi que des lois et du territoire du Québec.

Le titre relatif aux institutions du Québec comporte les éléments d'un véritable renouveau constitutionnel du Québec. Ainsi, au lendemain de l'accession du Québec au statut de pays, les institutions parlementaires, gouvernementales et judiciaires du Québec pourront être repensées. Les débats seront l'occasion de revoir les fonctions et le mode de désignation du chef d'État et du chef de gouvernement ainsi que le partage éventuel du pouvoir exécutif et législatif entre la présidence, le gouvernement et le Parlement du Québec.

Dans le projet de *Constitution nationale du Québec* que j'ai préparé, je propose d'opter pour une séparation plus étanche des pouvoirs que celle que nous connaissons actuellement au Québec. Je suggère donc que la personne élue à la présidence du Québec soit à la fois le chef d'État et le chef du gouvernement. Il s'agit d'un changement majeur puisque le Québec n'a jamais connu de forme républicaine de gouvernement. Cette modification de l'architecture institutionnelle est importante puisqu'elle a comme effet de cumuler dans la même personne la fonction de chef d'État et de gouvernement. Cette formule est d'inspiration américaine et fait revivre la proposition formulée dans le programme adopté par le Parti Québécois lors de son congrès de 1974[172]. Elle se distingue des formules retenues dans des régimes présidentiels où les positions de chef d'État et chef de gouvernement sont tenues par des personnes différentes et où coexistent, comme c'est le cas en France, une fonction de président et une fonction de premier ministre. Une telle coexistence est souvent source de conflits entre les personnes qui occupent les deux fonctions et tend à ne pas favoriser la cohérence des actions de la présidence et du gouvernement. C'est à la présidence que serait conférée la prérogative de désigner les ministres et ceux-ci ne pourraient pas assumer une fonction parlementaire de façon à assurer une véritable séparation du pouvoir exécutif et législatif.

L'exercice du pouvoir législatif serait confié quant à lui à un Parlement du Québec. Ce Parlement serait assez différent de celui que nous connaissons puisque les membres du gouvernement n'y siégeraient pas comme c'est le cas aujourd'hui. La présidence et ses ministres ne participeraient pas aux délibérations du Parlement. La présidence et ses ministres pourraient toutefois y être interpellés à l'occasion de périodes de questions comme c'est le cas dans d'autres régimes présidentiels.

De plus, le renouveau de l'institution parlementaire passe, selon moi, par la création d'une institution bicamérale composée de l'Assemblée nationale et d'une Chambre régionale. Je propose que l'Assemblée nationale soit composée de députés ayant comme responsabilité d'initier des lois en tenant compte de l'intérêt national et que la Chambre régionale soit composée quant à elle de représentants dont la mission serait de tenir en compte les intérêts et les besoins régionaux dans l'élaboration des lois et d'autres actes relevant de la compétence du Parlement du Québec. L'une et l'autre des chambres, réunies en Congrès, détiendront également des responsabilités relativement à l'approbation du budget, des engagements internationaux ainsi qu'à l'investiture des juges du Tribunal suprême du Québec.

D'ailleurs, on peut prévoir dans ce dernier cas que les deux composantes du Parlement du Québec se réuniront en Congrès aux fins de procéder à une telle investiture et qu'il en soit de même aux fins de l'adoption des modifications à la *Constitution nationale*. Des modifications au mode de scrutin doivent être envisagées pour le Parlement et le remplacement de l'actuel mode de scrutin uninominal à un tour par un nouveau système de représentation proportionnelle ayant pour objectif la parité hommes-femmes. Une meilleure représentation des Québécois d'origines et de milieux divers est aussi nécessaire.

La *Constitution nationale* contient aussi des dispositions sur le gouvernement du Québec. Ainsi, l'article 17 rappelle qu'il est l'organe qui détermine et conduit la politique générale de l'État du Québec et qu'il assure l'exécution des lois et dispose, conformément à la loi, du pouvoir réglementaire. Dans le cas du gouvernement, le renouveau constitutionnel résulte du fait que le Conseil des ministres est dorénavant composé de ministres désignés par la présidence et qu'un député ou un représentant ne peut être membre du Conseil des ministres. Il faut prévoir qu'une personne élue à l'Assemblée nationale ou à la Chambre régionale peut être nommée ministre à condition de démissionner de son poste de député ou de représentant. L'article 18 de la Constitution initiale prévoit par ailleurs qu'une loi précisera les modalités d'organisation et de fonctionnement du gouvernement du Québec.

S'agissant des tribunaux du Québec, je propose que soit maintenue, pour l'essentiel, la structure actuelle des tribunaux judiciaires. Ainsi, la Cour du Québec et la Cour supérieure du Québec seront regroupées pour former le Tribunal du Québec, alors que la Cour d'appel du Québec changera tout simplement de dénomination pour devenir le Tribunal d'appel du Québec. Institué par la *Constitution initiale*, le Tribunal suprême du Québec deviendra le tribunal général d'appel, mais sera également investi d'un pouvoir de contrôle de la constitutionnalité des lois nationales et des engagements internationaux. Comme le prévoient les alinéas 2 et 3 de l'article 20 de la *Constitution nationale*, le Tribunal pourra exercer ce pouvoir sur saisine de la présidence du Québec, de la présidence de l'Assemblée nationale, de la présidence de la Chambre régionale, de 25 députés ou de 15 représentants qui pourront soumettre la question de la compatibilité d'un projet de loi ou d'un projet d'engagement international à la *Constitution nationale* au Tribunal suprême du Québec.

Pour assurer leur indépendance, le processus de nomination des juges des tribunaux du Québec sera constitutionnalisé par l'article 21. Ainsi, les juges du Tribunal du Québec et du Tribunal d'appel du Québec seront nommés par la présidence du Québec sur recommandation du ministre de la Justice, alors que les juges du Tribunal suprême seront nommés par la présidence du Québec après leur investiture, à la majorité des deux tiers, par l'Assemblée nationale et la Chambre régionale réunies en Congrès. L'article 22 précisera que les juges du Tribunal du Québec, du Tribunal d'appel du Québec et du Tribunal suprême du Québec seront indépendants, ne seront soumis qu'à la loi et ne pourront contre leur gré être mutés, suspendus ou démis de leurs fonctions qu'en vertu d'une décision judiciaire et pour les seuls motifs et dans la seule forme prescrits par la loi.

Je crois utile de constitutionnaliser l'existence des institutions municipales, métropolitaines et régionales du Québec. La question de la décentralisation au Québec doit être abordée à l'occasion des travaux sur la *Constitution nationale* et un nouveau partage des compétences entre l'État et les institutions municipales, métropolitaines et régionales doit être effectué. Je propose d'inclure dans le texte de la *Constitution nationale* un article 24 reconnaissant que les institutions locales, métropolitaines et régionales du Québec sont des divisions territoriales dotées d'une personnalité juridique propre et leur garantissant le droit d'organiser une gestion autonome dans leurs domaines de compétence, conformément à la loi.

Le titre sur les relations internationales du Québec reprend pour l'essentiel les dispositions de la *Constitution initiale du Québec*. Le partage des responsabilités entre la présidence, le gouvernement et le Parlement dans le processus de conclusion des engagements internationaux est modifié puisqu'il prévoit que le gouvernement négocie, signe et ratifie les engagements internationaux du Québec, la ratification des engagements internationaux importants et fondamentaux étant toutefois réservée à la présidence du Québec. Il est d'ailleurs prévu que le Parlement du Québec doive approuver les engagements internationaux importants, mais il est également proposé que l'approbation d'engagements internationaux fondamentaux, par exemple un traité instituant une zone de libre-échange des Amériques, doive être faite par le peuple du Québec par la voie de la consultation populaire. Il est proposé par ailleurs que le droit international se voie reconnaître une supériorité sur le droit interne et que les règles du droit international l'emportent ainsi sur toutes règles de droit interne québécois, y compris les règles contenues dans la présente *Constitution nationale*, qui leur sont incompatibles. Une telle supériorité se justifie en raison de l'obligation d'exécuter de bonne foi ses obligations internationales et de la nécessité de se comporter de manière responsable au sein la communauté internationale.

Les questions relatives à la suprématie et à la révision de la constitution sont traitées dans le titre VI de la *Constitution nationale*. S'agissant de la suprématie, je propose à l'article 26 que les règles de la *Constitution nationale du Québec* l'emportent sur toutes règles de droit qui leur sont incompatibles. Une telle clause de suprématie ferait de la *Constitution nationale* la loi la plus fondamentale du Québec.

L'article 27 prévoit par ailleurs que l'initiative de la révision de la *Constitution nationale du Québec* relève principalement du Parlement du Québec, mais que soit assurée une participation importante des citoyens au processus de révision de la constitution, tant sous l'angle de l'initiative de la révision de la constitution que celui de l'approbation des modifications constitutionnelles.

À ce dernier égard, je propose que l'initiative de la révision de la présente Constitution appartienne également aux citoyens dans les cas et conditions prévues par la loi et qu'il soit ainsi adopté une *Loi sur l'initiative populaire*. S'agissant de l'approbation d'une proposition de révision constitutionnelle relative aux articles 9 à 11 de la Constitution portant sur les devoirs et droits fondamentaux, je suis d'avis qu'une telle proposition de révision doit être approuvée par les citoyens du Québec par le biais d'une consultation populaire.

Il y a également lieu de prévoir, comme le faisait l'alinéa 3 de l'article 8 du projet de *Loi sur l'avenir du Québec,* que des représentants de la communauté anglophone et de chacune des nations autochtones soient invités à participer à ses travaux pour ce qui est de la définition de leurs droits. Ainsi, l'alinéa 2 de l'article 27 prévoit que lorsqu'une proposition de révision des articles 26 à 29 de la *Charte québécoise des devoirs et droits fondamentaux* est présentée au Parlement du Québec, les représentants des collectivités concernées sont invités lors de l'étude de la proposition.

Il y a également lieu définir la majorité requise pour adopter une révision constitutionnelle et mettre la *Constitution nationale* à l'abri de changements au gré des majorités parlementaires. L'obtention d'une majorité des deux tiers des voix des membres du Parlement m'apparaît convenir pour l'adoption d'une révision constitutionnelle.

La question de la diffusion de la *Constitution nationale* fait l'objet d'une disposition voulant que tout citoyen reçoive la *Constitution nationale du Québec* lorsqu'il atteint l'âge où il peut exercer le droit de vote ou lorsqu'il acquiert la citoyenneté nationale. L'alinéa premier de l'article 28 prévoit que tout citoyen peut également obtenir la *Constitution nationale* en adressant une demande écrite à la présidence du Québec. Pour assurer une bonne compréhension du contenu de la *Constitution nationale*, elle est publiée dans sa version officielle en langue française ainsi que dans une version en langue anglaise et des versions en langues autochtones.

Section 2

La démarche citoyenne : de l'élaboration de la *Constitution nationale*

Au lendemain d'un référendum favorable à la souveraineté du Québec, je propose que soit instituée une Assemblée constituante dont le mandat sera de procéder à la rédaction de la *Constitution nationale du Québec*. Comme le prévoit l'alinéa 3 de l'article 6 de la *Constitution initiale*, l'organisation de l'Assemblée constituante est prévue par la loi. J'ai donc préparé un projet de *Loi sur l'Assemblée constituante du Québec* qui est joint à l'annexe 4 et dans lequel il est question de la composition et des méthodes de travail d'une telle assemblée.

Le contenu de cette loi est inspiré des dispositions de la *Loi sur l'avenir politique et constitutionnel* qui ont régi les travaux de la commission Bélanger-Campeau et de la *Loi sur le processus de détermination de l'avenir politique et constitutionnel* du Québec qui encadrait les travaux de la Commission d'étude des questions afférentes à l'accession du Québec à la souveraineté.

Je propose d'inviter l'ensemble des députés de l'Assemblée nationale du Québec et de la Chambre des communes représentant une circonscription électorale située au Québec à siéger dans une Assemblée constituante. Comme le prévoit l'article 6 de la *Constitution initiale du Québec*, l'Assemblée constituante est composée pour moitié de ces députés et pour l'autre moitié de membres élus au suffrage universel, selon un système de représentation proportionnelle ayant pour objectif la parité hommes-femmes et une meilleure représentation des

Québécoises et des Québécois d'origines et de milieux divers. Le Québec pourra ainsi faire l'expérience d'une première élection selon un système de représentation proportionnelle favorisant l'atteinte de l'objectif de la parité et de la diversité dans la composition de l'Assemblée constituante.

Cette assemblée aura la responsabilité d'encadrer la démarche citoyenne autour du projet de *Constitution nationale du Québec*. Les travaux de l'Assemblée constituante seront organisés de manière à favoriser la plus grande participation des citoyens, comme le voulait l'article 6 du projet de *Loi sur l'avenir du Québec*. Les moyens utilisés par la commission Bélanger-Campeau, la Commission d'étude des questions afférentes à l'accession du Québec à la souveraineté et les commissions sur l'avenir du Québec pour consulter les citoyens devront être une source d'inspiration pour l'Assemblée constituante. Celle-ci pourra privilégier, entre autres moyens, la tenue d'audiences publiques dans diverses régions du Québec, l'audition d'experts et la tenue de forums sur des aspects particuliers du contenu de la *Constitution nationale*.

Une véritable démarche citoyenne exige que les citoyens reçoivent une copie du projet de *Constitution nationale du Québec*. Ce texte constitutionnel ainsi que les documents d'accompagnement devront être disponibles dans la langue officielle et d'autres langues, être présentés dans un style et des formats favorisant leur compréhension. Les textes et documents devront également être accessibles par la voie électronique et un site électronique interactif devrait être créé pour favoriser les échanges entre les membres de l'Assemblée constituante et les citoyens.

La démarche citoyenne que je favorise aux fins de l'élaboration de la *Constitution nationale* pourra être l'occasion de formuler des propositions novatrices et originales et d'aller au-delà du projet de constitution que je présente dans le présent essai. On pourra ainsi insérer dans la constitution une *Charte québécoise du développement humain et du développement durable*[173], comme on y inclut une *Charte québécoise des devoirs et droits fondamentaux*. Ainsi, le catalogue des droits fondamentaux pourra être enrichi par d'autres droits, notamment par des droits relatifs à la sécurité alimentaire et la protection contre des organismes génétiquement modifiés. Les questions difficiles et controversées comme celles relatives à l'euthanasie, à la procréation et à la peine de mort pourront trouver une place dans la charte.

Sur le plan de l'architecture institutionnelle, certains pourront préférer un régime présidentiel et parlementaire et vouloir distinguer la fonction de chef d'État et de chef de gouvernement et maintenir la position de premier ministre. On pourra également vouloir retenir un système parlementaire supposant la responsabilité du gouvernement devant le Parlement et le maintien du cumul du rôle de député et de ministre.

Des solutions de rechange au mode de scrutin proportionnel pourront être présentées à l'Assemblée constituante et les modèles pourront être multiples.

S'agissant des institutions judiciaires, on pourrait vouloir conférer à un Conseil constitutionnel plutôt qu'au Tribunal suprême du Québec le soin d'exercer le contrôle de la constitutionnalité des lois nationales et des engagements internationaux.

Et d'aucuns pourront vouloir une participation plus grande des citoyens à la révision et l'approbation des propositions de révision de la constitution et élargir l'éventail des dispositions de la constitution qui ne pourront être modifiées qu'avec l'assentiment du peuple à l'occasion d'une consultation populaire.

Toutes ces propositions et la démarche citoyenne à l'intérieur de laquelle elles s'inséreront auront comme dénouement l'adoption par l'Assemblée constituante du texte d'un projet de *Constitution nationale du Québec*. En conformité avec la *Constitution initiale*, ce projet sera soumis à la population à l'occasion d'une consultation populaire. Si le peuple du Québec approuve le projet, le pays souverain et indépendant aura ainsi sa *Constitution nationale*.

CONCLUSION

Les débats constitutionnels ont suscité lassitude des Québécoises et des Québécois. Cette lassitude est née de l'incapacité de modifier la constitution du Canada dans le sens des revendications du Québec et le refus de satisfaire des attentes fort divergentes sur l'application du principe fédératif au Canada. La succession d'échecs constitutionnels et les acteurs qui en ont été responsables ont ainsi enlevé le goût de la constitution aux gens d'ici.

Je propose d'adopter une constitution qui soit vraiment le miroir de la société québécoise, qui en décrive les valeurs et les institutions et organise la vie publique autour d'un texte fondateur. L'élaboration d'un tel texte fondateur suscitera l'intérêt et l'enthousiasme des Québécoises et des Québécois et leur redonnera le goût de la constitution.

L'adoption d'une constitution du Québec fera bien davantage, mais ne saura être un remède à tous les maux. Comme l'a écrit le professeur Jacques-Yvan Morin :

> Sans doute, le seul fait d'adopter une constitution formelle n'apportera-t-il aucune garantie de bon gouvernement et de droits égaux pour tous. Fonder quelque espoir sur la pure rationalité constitutionnelle relève à coup sûr de la pensée magique, dans la mesure où les normes ne sont pas solidement arrimées aux réalités, aux besoins et aux aspirations. Mais si elles peuvent l'être et les conditions sont réunies qui permettent de faire de la loi fondamentale un compendium des valeurs du milieu, instrument pédagogique au service de l'éducation socio-politique, alors on est en droit d'espérer doter le Québec d'une constitution « vivante », qui en serait certes le miroir, mais aussi le portrait idéal[174].

Je ne sais si les projets de *Constitution initiale du Québec* et de *Constitution nationale du Québec* que j'ai rédigés dans le cadre du présent essai présentent un tel portrait idéal. J'ose espérer qu'ils contribueront à un débat national qui conduira selon moi à l'adoption d'une constitution du Québec.

Dans le présent essai, j'ai inscrit quant à moi la démarche constitutionnelle dans le processus d'accession à la souveraineté politique du Québec et suis convaincu qu'un rôle important doit être confié à la constitution. Pour réussir le projet de pays, il faut présenter aux Québécoises et Québécois le texte d'une *Constitution initiale du Québec* dans lequel seront identifiées les valeurs qui les rassemblent et sera décrite la démarche citoyenne qui leur permettra de participer de façon active à l'élaboration de la *Constitution nationale du Québec*.

Constitution. Le mot doit retrouver ses lettres de noblesse au Québec. La délibération constitutionnelle doit devenir un grand moment dans la vie démocratique du peuple du Québec. Elle ne doit plus être l'affaire des seuls spécialistes. Elle doit être l'occasion de donner une âme à la « Cité québécoise ». De dire et d'affirmer : « Nous, peuple du Québec... ».

Hôtel du Parlement
Québec, le 28 février 2005

ANNEXES

ANNEXE 1

PROPOSITION DE GESTES DE SOUVERAINETÉ

	GESTES DE SOUVERAINETÉ PARLEMENTAIRE ET POPULAIRE	INSTITUTION
1	Adresse au peuple du Québec	Premier ministre
2	Discours d'ouverture à l'Assemblée nationale du Québec	Premier ministre
3	Présentation et adoption de principe du projet de *Constitution initiale du Québec* et du projet de *Loi sur l'Assemblée constituante du Québec*	Premier ministre Assemblée nationale
4	Présentation et adoption de principe de projets de lois fondamentales par l'Assemblée nationale *- Loi sur les institutions du Québec* *- Loi sur la citoyenneté nationale* *- Loi sur les symboles nationaux* *- Loi sur les relations extérieures et la sécurité internationale* *- Loi sur la continuité des pensions, des permis et des contrats*	Premier ministre Ministres Assemblée nationale
5	Étude du projet de *Constitution initiale du Québec* et du projet de *Loi sur l'Assemblée constituante du Québec*	Commission de la Constitution
6	Étude des projets de lois fondamentales	Commission des institutions et autres commissions de l'Assemblée nationale
7	Rapport sur le projet de *Constitution initiale du Québec*	Commission de la Constitution
8	- Adoption de la *Constitution initiale du Québec* - Adoption des projets de lois fondamentales	Assemblée nationale
9	- Institution du comité d'observateurs de la communauté internationale; - Institution du comité des négociateurs du Québec	Assemblée nationale Premier ministre
10	Consultation populaire sur la souveraineté du Québec	Peuple du Québec Comité des observateurs de la communauté internationale

	GESTES DE SOUVERAINETÉ NATIONALE ET INTERNATIONALE	INSTITUTION
11	- Déclaration de souveraineté - Promulgation et entrée en vigueur de la *Constitution initale du Québec* et de la *Loi sur les institutions* - Élection et entrée en fonction de la présidence du Québec - Élection et entrée en fonction des juges du Tribunal suprême du Québec - Promulgation et entrée en vigueur des autres lois fondamentales	Assemblée nationale Présidence du Québec
12	- Désignation des membres de l'Assemblée constituante - Élection des membres de l'Assemblée constituante	Assemblée nationale Peuple du Québec
13	Examen du projet de *Constitution nationale du Québec* et consultations publiques	Assemblée constituante
14	Négociation avec le Canada d'un accord international sur la liberté de circulation des personnes, biens, services et capitaux	Comité des négociateurs du Québec
15	- Démarches de reconnaissance internationale et d'ouverture d'ambassades et de consulats - Démarches d'admission aux institutions internationales et d'ouverture de représentations permanentes	Ministre des Relations extérieures et de la Sécurité internationale
16	- Rapport sur les négociations avec le Canada - Signature d'un accord international sur la liberté de circulation des personnes, biens, services et capitaux avec le Canada	Comité des négociateurs du Québec Premier ministre
17	Approbation de l'accord international sur la liberté de circulation des personnes, biens, services et capitaux avec le Canada	Assemblée nationale
18	- Rapport sur le projet de *Constitution nationale du Québec* - Adoption de la *Constitution nationale du Québec*	Assemblée constituante Assemblée nationale
19	Consultation populaire sur la *Constitution nationale du Québec*	Peuple du Québec
20	Promulgation et entrée en vigueur de la *Constitution nationale du Québec*	Présidence du Québec

ANNEXE 2

PROJET DE LOI N°

CONSTITUTION INITIALE DU QUÉBEC

Rédigée par

Daniel TURP
Député de Mercier

CONSTITUTION INITIALE DU QUÉBEC

PRÉAMBULE

CONSIDÉRANT que le Québec est libre d'assumer son propre destin, de déterminer son statut politique et d'assurer son développement;

CONSIDÉRANT l'existence de la nation québécoise, la reconnaissance des nations abénaquise, algonquine, attikamek, crie, huronne, innue, malécite, micmaque, mohawk et naskapi, l'identité historique, linguistique et culturelle de la communauté anglophone et l'apport des minorités ethniques au développement du Québec;

LE PARLEMENT DU QUÉBEC DÉCRÈTE CE QUI SUIT :

TITRE I

DU QUÉBEC

1. Le Québec est un pays souverain et indépendant.

   Le Québec est une société démocratique et pacifique.

   Le Québec est un État de droit.

Le Québec est une terre où les êtres humains sont libres et égaux en dignité et en droits.

Le Québec fait de la langue française sa langue officielle et commune.

Le Québec assure la promotion et la protection de la culture québécoise.

Le Québec s'engage sur la voie du développement humain et du développement durable.

TITRE II

DE LA CITOYENNETÉ NATIONALE DU QUÉBEC

2. Il est institué une citoyenneté nationale du Québec. La citoyenneté nationale du Québec est attribuée à toute personne domiciliée au Québec au moment de l'entrée en vigueur de la présente Constitution. Elle peut être obtenue dans les autres cas aux conditions prévus par la loi.

La citoyenneté nationale du Québec peut être cumulée avec toute autre citoyenneté ou nationalité.

TITRE III

DES DROITS FONDAMENTAUX AU QUÉBEC

3. Les articles 1 à 56 de la *Charte des droits et libertés de la personne* (L.R.Q. c. C-12) font partie intégrante de la présente Constitution.

Les droits existants, ancestraux ou issus des traités, des nations autochtones du Québec sont reconnus et garantis. Les droits issus des traités conclus ultérieurement à l'entrée en vigueur de la présente constitution jouissent de la même protection. Les nations autochtones ont le droit de se gouverner sur des terres leur appartenant en propre et de participer au développement du Québec.

La communauté anglophone a un droit de gestion à l'égard des établissements qui offrent un enseignement de niveaux primaire et secondaire en anglais. Est également garanti le droit à une instruction en langue anglaise au Québec en conformité avec la législation du Québec en vigueur.

TITRE IV

DES INSTITUTIONS DÉMOCRATIQUES DU QUÉBEC

4. L'Assemblée nationale du Québec est investie du pouvoir législatif qu'elle exerce en conformité avec la loi.

Le gouvernement du Québec est investi du pouvoir exécutif qu'il exerce en conformité avec la loi.

Il est institué une présidence du Québec. Le mode de désignation et les pouvoirs de la présidence du Québec ainsi que l'organisation de la présidence sont prévus par la loi.

Il est institué un Tribunal suprême du Québec. Le mode de désignation de ses membres et son organisation sont prévus par la loi. Les autres cours et tribunaux du Québec exercent leurs fonctions en application de la loi. La continuité de leur autorité et des affaires dont ils sont saisis est assurée par la loi.

TITRE V

DES RELATIONS INTERNATIONALES DU QUÉBEC

5. Conformément aux règles du droit international, le Québec assume les obligations et jouit des droits énoncés dans les engagements internationaux auxquels le Québec et le Canada sont parties.

Le gouvernement du Québec peut conclure tout engagement international. Les engagements internationaux importants font l'objet d'une approbation par l'Assemblée nationale du Québec.

Le gouvernement du Québec assure la représentation du Québec auprès des peuples, États et institutions internationales.

Le gouvernement du Québec s'engage à négocier avec le Canada un accord international relatif à la libre circulation des personnes, des biens, des services et des capitaux. Le gouvernement du Québec s'engage à soumettre un tel accord international à l'approbation de l'Assemblée nationale du Québec.

TITRE VI

DE LA CONSTITUTION NATIONALE DU QUÉBEC

6. Il est procédé à l'élaboration d'une *Constitution nationale du Québec*. La rédaction du projet de *Constitution nationale du Québec* est placée sous la responsabilité de l'Assemblée constituante du Québec.

L'Assemblée constituante est composée de 400 membres. Sont membres d'office les 125 députés de l'Assemblée nationale du Québec et les 75 députés de la Chambres des communes du Canada, représentant une circonscription électorale située au Québec. 200 membres sont élus au suffrage universel, selon un système de représentation proportionnelle ayant comme objectif la parité hommes-femmes et une meilleure représentation des Québécoises et des Québécois d'origines et de milieux divers.

Les travaux de l'Assemblée constituante sont organisés de manière à favoriser la plus grande participation possible des citoyens du Québec.

Le projet de *Constitution nationale du Québec* est soumis à la consultation populaire. Si elle est approuvée par le peuple du Québec, la *Constitution nationale* fait l'objet d'une promulgation par la présidence du Québec et entre en vigueur au moment de sa promulgation.

L'organisation de l'Assemblée constituante est prévue par la loi.

TITRE VII

DISPOSITIONS TRANSITOIRES ET FINALES

7. La législation du Québec, et notamment la *Charte de la langue française* (L.R.Q., c. C-11), ainsi que la législation du Canada continuent d'être en vigueur dans la mesure où leurs dispositions ne sont pas contraires à la présente Constitution.

Les symboles nationaux font l'objet d'une loi qui en précise les modalités de présentation et de diffusion.

La continuité des pensions, des prestations, des permis et des contrats est assurée par la loi.

Les dispositions de la *Constitution initiale du Québec* l'emportent sur toutes règles de droit qui leur sont incompatibles.

La *Constitution initiale du Québec* entre en vigueur au moment de sa promulgation par l'Assemblée nationale du Québec.

ANNEXE 3

PROJET DE LOI

CONSTITUTION NATIONALE DU QUÉBEC

Rédigée par

Daniel TURP
Député de Mercier

CONSTITUTION NATIONALE DU QUÉBEC

Québec ma terre amère ma terre amande
ma patrie d'haleine dans la touffe des vents
j'ai de toi la difficile et poignante présence
avec une large blessure d'espace au front
dans une vivante agonie de roseaux au visage

par tous les chemins défoncés de ton histoire
aux hommes debout dans l'horizon de la justice
qui te saluent
salut à toi territoire de ma poésie
salut les hommes et les femmes
des pères et mères de l'aventure

« Compagnon des Amériques », *L'homme rapaillé,*

Gaston MIRON

PRÉAMBULE

NOUS, PEUPLE DU QUÉBEC,

CONSIDÉRANT que le Québec est libre d'assumer son propre destin, de déterminer son statut politique et d'assurer son développement;

CONSIDÉRANT l'existence de la nation québécoise, la reconnaissance des nations abénaquise, algonquine, attikamek, crie, huronne, innue, malécite, micmaque, mohawk, naskapi et inuit qui forment des nations distinctes dont il importe de préserver leur identité et la participation au développement du Québec, l'identité historique, linguistique et culturelle de la communauté anglophone du Québec et celle de ses institutions ainsi que l'apport précieux des minorités ethniques au développement du Québec;

CONSIDÉRANT l'importance d'affirmer les devoirs et droits fondamentaux de la personne et des collectivités;

CONSIDÉRANT que les choix destinés à répondre aux besoins du peuple du Québec, de ses personnes et de ses collectivités doivent être guidés par le principe d'un développement humain et d'un développement durable susceptible d'assurer la capacité des générations futures à satisfaire leurs propres besoins;

CONSIDÉRANT l'importance de contribuer à une mondialisation équitable, de respecter les règles du droit international, d'assurer le règlement pacifique des différends internationaux, de coopérer avec les institutions internationales et de contribuer par sa culture et son combat pour la diversité culturelle à l'enrichissement du patrimoine de l'Humanité;

CONSIDÉRANT que l'État du Québec est fondé sur des assises qu'il a enrichies au cours des ans par l'adoption de la *Constitution initiale du Québec* et de plusieurs lois fondamentales et par la création d'institutions démocratiques qui lui sont propres;

CONSIDÉRANT qu'il est souhaitable d'adopter une *Constitution nationale du Québec*, ci-après dénommée la *Constitution du Québec* ou la *Constitution*;

LE PARLEMENT DU QUÉBEC DÉCRÈTE CE QUI SUIT :

TITRE I

DU QUÉBEC

CHAPITRE I

DU QUÉBEC

1. Le Québec est un pays souverain et indépendant.

Le Québec est une société démocratique et pacifique.

Le Québec est un État de droit.

Le Québec est une terre où les êtres humains sont libres et égaux en dignité et en droits.

Le Québec fait de la langue française sa langue nationale.

Le Québec assure la promotion et la protection de la culture québécoise.

Le Québec s'engage sur la voie du développement humain et du développement durable.

CHAPITRE II

DE LA CITOYENNETÉ DU QUÉBEC

2. La citoyenneté nationale du Québec est attribuée à toute personne qui est née au Québec ou qui est née à l'étranger d'un père ou d'une mère ayant la citoyenneté nationale du Québec. La citoyenneté nationale peut être cumulée avec toute autre nationalité ou citoyenneté.

La citoyenneté nationale du Québec peut être obtenue dans les autres cas et aux conditions prévus par la loi.

CHAPITRE III

DU TERRITOIRE DU QUÉBEC

3. Le Québec exerce des compétences sur l'ensemble de son territoire national terrestre, maritime et aérien, de même que sur les espaces adjacents à ses côtes, conformément au droit international.

Le territoire national du Québec et ses frontières ne peuvent être modifiés qu'avec le consentement du Parlement du Québec.

Le gouvernement du Québec doit veiller au maintien et au respect de l'intégrité territoriale du Québec.

Une loi pourvoit à l'organisation du territoire national du Québec.

CHAPITRE IV

DU PATRIMOINE DU QUÉBEC

4. Le Québec préserve, protège et promeut son patrimoine national archéologique, architectural, archivistique, artistique, ethnologique et historique.

Une loi précise les modalités de préservation, de protection et de promotion du patrimoine du Québec.

CHAPITRE V

DE LA CAPITALE DU QUÉBEC

5. La capitale nationale du Québec est la ville de Québec.

Une loi voit à l'organisation de la capitale nationale du Québec.

CHAPITRE VI

DE LA LANGUE DU QUÉBEC

6. Le français est la langue nationale du Québec.

Une loi voit à la promotion et à la protection de la langue nationale du Québec.

CHAPITRE VII

DES SYMBOLES DU QUÉBEC

7. Le drapeau national du Québec est un drapeau bleu chargé d'une croix blanche accompagnée, dans chaque canton, d'une fleur de lis blanche ou, en termes héraldiques, *d'azur à la croix d'argent cantonnée de quatre fleurs de lys du même.*

L'arbre emblématique du Québec est le bouleau jaune (*Betula alleghaniensis Britton*). La fleur emblématique du Québec est l'iris versicolore (*Iris versicolor Linné*). L'oiseau emblématique du Québec est le harfang des neiges (*Nyctea scandiaca [Linné]*).

La devise nationale du Québec est « *Je me souviens* ».

Les armoiries nationales reflètent l'histoire politique du Québec et utilisent des fleurs de lis or sur fond bleu, un léopard or sur fond rouge et un rameau de feuilles d'érable.

L'hymne national du Québec est « *Gens du Pays* ». Les paroles de cet hymne national sont reproduites en appendice de la présente Constitution.

Une loi précise les modalités de présentation et de diffusion de l'ensemble des symboles nationaux du Québec.

TITRE II

DU DÉVELOPPEMENT HUMAIN ET DU DÉVELOPPEMENT DURABLE DU QUÉBEC

8. Les institutions du Québec mettent en œuvre les principes du développement humain et du développement durable et prennent l'engagement de transmettre aux générations futures un patrimoine naturel, social, économique et culturel tel qu'elles puissent bénéficier de la même qualité de vie.

Une loi précise les modalités de mise en œuvre du développement humain et du développement durable au Québec.

TITRE III

DES DEVOIRS ET DROITS FONDAMENTAUX AU QUÉBEC

9. La *Charte québécoise des devoirs et droits fondamentaux* dont le texte est reproduit en annexe fait partie intégrante de la présente Constitution et proclame les devoirs et droits qui y sont énoncés.

10. Les droits garantis par la *Charte québécoise des devoirs et droits fondamentaux* ne peuvent faire l'objet d'une limitation que si celle-ci est prévue par une règle de droit, dans des limites qui soient raisonnables et dont la justification puisse se démontrer dans le cadre d'une société libre et démocratique.

Si une loi ou une disposition d'une loi est invalidée comme étant contraire à l'un des droits fondamentaux garantis par la *Charte québécoise des devoirs et droits fondamentaux*, le Parlement du Québec peut adopter une loi ou une disposition d'une loi portant dérogation à ce droit. Une telle loi ou une disposition d'une loi cesse d'avoir effet à la date qui y est précisée ou, au plus tard, cinq ans après son entrée en vigueur.

Le deuxième alinéa n'autorise pas l'adoption d'une loi portant dérogation aux premier, deuxième et troisième alinéas de l'article 2, au premier alinéa de l'article 4 et au paragraphe 1 de l'article 13 de la *Charte québécoise des devoirs et droits fon-*

damentaux. De plus, il n'autorise pas l'adoption d'une loi portant atteinte aux garanties juridiques indispensables à la protection des dispositions énumérées dans le présent alinéa.

11. Toute personne victime de violation des droits fondamentaux qui lui sont garantis par la *Charte québécoise des devoirs et droits fondamentaux* peut s'adresser à un tribunal compétent pour obtenir la réparation que le tribunal estime convenable et juste eu égard aux circonstances.

TITRE IV

DES INSTITUTIONS DU QUÉBEC

CHAPITRE I

DE LA PRÉSIDENCE DU QUÉBEC

12. La présidence du Québec est assumée par la personne élue pour quatre ans, au suffrage universel direct et dont le mandat n'est renouvelable qu'une seule fois. En cas de décès, incapacité ou démission, la présidence est assumée automatiquement par la personne élue à la vice-présidence en même temps qu'elle.

La personne élue à la présidence du Québec est chef de l'État et chef du gouvernement du Québec.

Dans l'exercice de ses principaux pouvoirs, la présidence du Québec :

a) désigne les ministres;
b) nomme, après leur confirmation par le Parlement du Québec, les juges du Tribunal suprême du Québec;
c) accrédite les ambassadeurs et autres membres du personnel diplomatique et consulaire;
d) ratifie les engagements internationaux importants et fondamentaux;
e) possède un droit de veto sur les lois votées au Parlement du Québec. Ce veto peut toutefois être levé si la loi est adoptée une seconde fois au Parlement du Québec par un vote à la majorité des deux tiers;

f) est responsable des forces de sécurité internationale, mais ne peut les impliquer dans aucune action importante majeure sans le consentement du Parlement du Québec.

Une loi précise les modalités d'organisation et de fonctionnement de la présidence du Québec.

CHAPITRE I

DU PARLEMENT DU QUÉBEC

13. Le Parlement du Québec est composé de l'Assemblée nationale du Québec et de la Chambre régionale du Québec.

L'Assemblée nationale du Québec représente les citoyens du Québec. La Chambre régionale représente les régions du Québec.

Le Parlement du Québec adopte les lois et surveille l'action du gouvernement.

Les débats du Parlement du Québec sont publics.

14. L'Assemblée nationale se compose de 125 députés. La Chambre régionale est composée de 75 représentants. Ce nombre peut être modifié par la loi pour tenir compte de l'évolution démographique du Québec.

Les députés et les représentants sont élus selon le système de représentation prévu par la loi et ayant pour objectif la parité hommes-femmes et une meilleure représentation des Québécoises et des Québécois d'origines et de milieux divers.

Un député ou un représentant peut siéger au Parlement après avoir prêté le serment suivant : « Je déclare sous serment que je serai loyal envers le Québec et que j'exercerai mes fonctions avec honnêteté et justice dans le respect de la *Constitution nationale du Québec* ».

15. L'initiative des lois appartient aux membres du Parlement du Québec. Toutefois, seul un député de l'Assemblée nationale peut présenter un projet de loi qui a pour objet l'engagement de fonds publics, l'imposition d'une charge aux contribuables, la remise d'une dette envers l'État ou l'aliénation de biens appartenant à l'État.

L'Assemblée nationale et la Chambre régionale ne peuvent adopter des lois qu'à la majorité absolue de leurs membres présents. Cette majorité ne peut, en aucun cas, être inférieure au quart du nombre légal des députés et des représentants. L'Assemblée nationale et la Chambre régionale ne peuvent adopter une loi visée au deuxième alinéa de l'article 11 qu'à la majorité des deux tiers de leurs membres présents.

Une loi adoptée par l'Assemblée nationale et la Chambre régionale ne peut être soumise à un référendum que si, lors de sa présentation, elle contient une disposition à cet effet ainsi que le texte de la question soumise au référendum. Une telle loi ne peut être promulguée qu'après avoir été soumise aux électeurs par voie de référendum.

La loi est promulguée par la présidence dans un délai d'un mois après son adoption par le Parlement du Québec.

16. Une loi précise les modalités d'organisation et de fonctionnement du Parlement du Québec.

CHAPITRE II

DU GOUVERNEMENT DU QUÉBEC

17. Le gouvernement est l'organe qui détermine et conduit la politique générale de l'État du Québec. Il assure l'exécution des lois et dispose, conformément à la loi, du pouvoir réglementaire.

La présidence du Québec dirige le gouvernement du Québec et préside le Conseil des ministres. Le Conseil des ministres est composé des ministres désignés par la présidence. Chaque ministre exerce les compétences fixées par la présidence.

Un député ou un représentant ne peut être membre du Conseil des ministres. Une personne élue à l'Assemblée nationale ou à la Chambre régionale peut être nommée ministre à condition de démissionner de son poste de député ou de représentant.

18. Une loi précise les modalités d'organisation et de fonctionnement du gouvernement du Québec.

CHAPITRE III

DES TRIBUNAUX DU QUÉBEC

19. Le Tribunal du Québec est le tribunal de première instance et de droit commun ayant compétence en matière civile, criminelle et pénale ainsi que dans les matières relatives à la jeunesse. Le tribunal ou ses juges siègent également en matière administrative ou en appel dans les cas prévus par la loi. Le Tribunal du Québec est un tribunal d'archives. Le droit de surveillance, de réforme et de contrôle est conféré et assigné au Tribunal et à ses juges.

20. Le Tribunal d'appel du Québec et les juges qui le composent ont une compétence d'appel dans toute l'étendue du Québec, à l'égard de toutes les causes, matières et choses susceptibles d'appel.

21. Le Tribunal suprême du Québec est le plus haut tribunal du Québec et le tribunal général d'appel pour l'ensemble du pays.

La présidence du Québec, la présidence de l'Assemblée nationale, la présidence de la Chambre régionale, 25 députés ou 15 représentants peuvent soumettre la question de la compatibilité d'un projet de loi à la présente Constitution au Tribunal suprême du Québec. Un projet de loi déclaré incompatible avec la présente Constitution ne peut être adopté par le Parlement du Québec.

La présidence du Québec, la présidence de l'Assemblée nationale, la présidence de la Chambre régionale, 60 députés ou 35 représentants peuvent soumettre la question de la compatibilité d'un engagement international à la présente Constitution au Tribunal suprême du Québec. Un engagement international déclaré incompatible avec la présente Constitution ne peut être ratifié par le gouvernement du Québec ou la présidence du Québec.

Si, au cours d'un litige, il existe des doutes sur la compatibilité avec la présente Constitution d'une loi ou d'un engagement international dont dépend sa décision, un juge doit suspendre la procédure et soumettre la loi ou l'engagement international au Tribunal suprême du Québec. En cas de déclaration d'incompatibilité d'une loi ou d'un engagement international avec la présente Constitution, son application est suspendue jusqu'à la révision, le cas échéant, de la présente Constitution.

22. Les juges du Tribunal du Québec et du Tribunal d'appel du Québec sont nommés par la présidence du Québec sur recommandation du ministre de la Justice du Québec.

Les juges du Tribunal suprême du Québec sont nommés par la présidence du Québec après leur investiture, à la majorité des deux tiers, par l'Assemblée nationale et la Chambre régionale réunies en Congrès.

23. Les juges du Tribunal du Québec, du Tribunal d'appel du Québec, du Tribunal suprême du Québec sont indépendants et ne sont soumis qu'à la loi. Ils ne peuvent contre leur gré être mutés, suspendus ou démis de leurs fonctions qu'en vertu d'une décision judiciaire et pour les seuls motifs et dans la seule forme prescrits par la loi.

L'organisation des tribunaux du Québec est prévue par la loi.

CHAPITRE IV

DES INSTITUTIONS MUNICIPALES, MÉTROPOLITAINES ET RÉGIONALES DU QUÉBEC

24. Les institutions locales, métropolitaines et régionales du Québec sont des divisions territoriales dotées d'une personnalité juridique propre.

Il est garanti aux institutions locales, métropolitaines et régionales du Québec le droit d'organiser une gestion autonome dans leurs domaines de compétence, conformément à la loi.

TITRE V

DES RELATIONS INTERNATIONALES DU QUÉBEC

25. Le Québec conduit ses relations internationales selon les principes du respect des règles du droit international, de la coopération avec les institutions internationales, du développement humain et du développement durable, de la diversité culturelle et du règlement pacifique des différends internationaux.

Le gouvernement négocie, signe et ratifie les engagements internationaux du Québec.

Tout engagement international qui constitue, en vertu de la loi, un engagement international important doit être approuvé au préalable par le Parlement du Québec. Tout engagement international qui constitue, en vertu de la loi, un engagement international fondamental doit être approuvé au préalable par le peuple du Québec à l'occasion d'une consultation populaire.

Le présidence ratifie les engagements internationaux importants et fondamentaux du Québec.

Le gouvernement assure la représentation du Québec auprès des peuples, des États et des institutions internationales.

Les règles du droit international l'emportent sur toutes règles de droit interne québécois qui leur sont incompatibles, y compris les règles contenues dans la présente *Constitution nationale.*

TITRE VI

DE LA SUPRÉMATIE, DE LA RÉVISION ET DE LA DIFFUSION DE LA CONSTITUTION

26. Les dispositions de la *Constitution nationale du Québec* l'emportent sur toutes règles de droit qui leur sont incompatibles.

27. L'initiative de la révision de la présente Constitution appartient au Parlement du Québec. Toute proposition de révision peut être initiée par l'Assemblée nationale avec le soutien d'au moins un quart des membres du Parlement.

L'initiative de la révision de la présente Constitution appartient également aux citoyens dans les cas et conditions prévus par la loi.

Lorsqu'une proposition de révision des articles 9 à 11 de la *Charte québécoise des devoirs et droits fondamentaux* est présentée au Parlement du Québec, la proposition de révision doit obtenir une majorité à l'occasion d'une consultation populaire.

Lorsqu'une proposition de révision des articles 26 à 29 de la *Charte québécoise des devoirs et droits fondamentaux* est présentée au Parlement du Québec, les représentants des collectivités concernées doivent être invités lors de l'étude de la proposition.

La proposition de révision doit obtenir une majorité des deux tiers des députés de l'Assemblée nationale et des représentants de la Chambre régionale réunis en Congrès et recueillir au moins les voix de la moitié du nombre légal des députés et des représentants.

28. Tout citoyen reçoit une copie de la *Constitution nationale du Québec* lorsqu'il atteint l'âge où il peut exercer le droit de vote ou lorsqu'il acquiert la citoyenneté nationale. Tout citoyen peut également obtenir une copie de la *Constitution nationale du Québec* en adressant une demande écrite à la présidence du Québec.

La version française de la présente Constitution est officielle. La présente Constitution est également publiée dans une version en langue anglaise et des versions en langues autochtones.

TITRE VII

DISPOSITIONS TRANSITOIRES ET FINALES

29. La législation du Québec en vigueur avant l'entrée en vigueur de la présente Constitution continue d'être en vigueur.

30. La présente Constitution entre en vigueur le...[175]

CONSTITUTION NATIONALE DU QUÉBEC

ANNEXE
(*article 9*)

CHARTE QUÉBÉCOISE DES DEVOIRS ET DROITS FONDAMENTAUX

CONSIDÉRANT que le Québec s'est engagé à respecter et garantir les droits reconnus dans la *Déclaration universelle des droits de l'Homme*, les *Pactes internationaux relatifs aux droits de l'Homme* et les autres instruments internationaux relatifs aux droits fondamentaux;

CONSIDÉRANT que tous les êtres humains sont égaux en dignité et en droits et ont droit à une égale protection de la loi;

CONSIDÉRANT que l'individu a des devoirs fondamentaux envers les personnes ainsi qu'à l'égard des collectivités au sein desquelles seul le libre et plein développement de sa personnalité est possible;

CONSIDÉRANT que le respect de la dignité de l'être humain et la reconnaissance des droits fondamentaux dont il est titulaire constituent le fondement de la justice et de la paix;

CONSIDÉRANT que les droits fondamentaux de la personne humaine sont inséparables des droits fondamentaux d'autrui et du bien-être général;

CONSIDÉRANT que les collectivités doivent exercer leurs droits fondamentaux dans le respect de la *Constitution nationale du Québec* ainsi que des lois et du territoire du Québec;

CONSIDÉRANT qu'il y a lieu d'affirmer solennellement les droits des personnes et des collectivités dans une *Charte québécoise des devoirs et droits fondamentaux* afin que ceux-ci soient garantis par la volonté collective et mieux protégés contre toute violation;

À ces causes, sont proclamés les devoirs et droits fondamentaux suivants :

TITRE I

DES DEVOIRS FONDAMENTAUX DES PERSONNES

1. Tous les êtres humains naissent libres et égaux en dignité et en droits. Ils sont doués de raison et de conscience et doivent agir les uns envers les autres dans un esprit de fraternité et de sororité.

Tout individu a des devoirs envers les personnes ainsi qu'à l'égard des collectivités au sein desquelles seul le libre et plein développement de sa personnalité est possible.

TITRE II

DES DROITS FONDAMENTAUX DES PERSONNES

CHAPITRE I

DES DROITS CIVILS, JUDICIAIRES, POLITIQUES ET ÉCOLOGIQUES

2. Tout être humain a droit à la vie ainsi qu'à la sûreté, à l'intégrité et à la liberté de sa personne.

En aucun cas, il ne peut être soumis à la torture ni à des peines ou à des traitements cruels, inhumains ou dégradants.

Tout être humain possède également la personnalité juridique.

Tout être humain dont la vie est en péril a droit au secours. Toute personne doit porter secours à celui dont la vie est en péril, personnellement ou en obtenant du secours, en lui apportant l'aide physique nécessaire et immédiate, à moins d'un risque pour elle ou pour les tiers ou d'un autre motif raisonnable.

3. Toute personne a droit à la sauvegarde de sa dignité, de son honneur et de sa réputation.

Toute personne a droit au respect de sa vie privée.

4. Toute personne est titulaire de la liberté de conscience et de religion.

Elle est également titulaire de la liberté d'opinion, de la liberté d'expression, de la liberté de réunion pacifique et de la liberté d'association.

Nul ne peut être privé de sa liberté ou de ses droits, sauf pour les motifs prévus par la loi et suivant la procédure prescrite.

5. Toute personne détenant la citoyenneté nationale jouit de la liberté de circuler sur tout le territoire du Québec et de choisir librement son lieu de résidence.

Toute personne détenant la citoyenneté nationale a le droit d'émigrer, de quitter librement le territoire du Québec et d'y revenir.

6. Toute personne a droit à la jouissance paisible et à la libre disposition de ses biens.

La demeure est inviolable.

Nul ne peut pénétrer chez autrui ni y prendre quoi que ce soit sans son consentement exprès ou tacite.

Nul ne peut faire l'objet de saisies, perquisitions ou fouilles abusives.

7. Chacun a droit au respect du secret professionnel.

Toute personne tenue par la loi au secret professionnel et tout prêtre ou autre ministre du culte ne peuvent, même en justice, divulguer les renseignements confidentiels qui leur ont été révélés en raison de leur état ou profession, à moins qu'ils n'y soient autorisés par celui qui leur a fait ces confidences ou par une disposition expresse de la loi.

Le tribunal doit, d'office, assurer le respect du secret professionnel.

8. Tout être humain a droit à la reconnaissance et à l'exercice, en pleine égalité, des droits et libertés de la personne, sans distinction, exclusion ou préférence fondée sur la race, la couleur, le sexe, la grossesse, l'orientation sexuelle, l'état civil, l'âge, la religion, les convictions politiques, la langue, l'origine ethnique ou nationale, la condition sociale, le handicap ou l'utilisation d'un moyen pour pallier ce handicap.

Le premier et le deuxième alinéa n'ont pas pour effet d'interdire les lois, programmes ou activités destinés à améliorer la situation d'individus ou de groupes défavorisés.

Nul ne doit harceler une personne en raison de l'un des motifs visés au deuxième alinéa, ni diffuser, publier ou exposer en public un avis, un symbole ou un signe comportant discrimination, ni donner une autorisation à cet effet.

9. Toute personne a droit, en pleine égalité, à une audition publique et impartiale de sa cause par un tribunal indépendant et qui ne soit pas préjugé, qu'il s'agisse de la détermination de ses droits et obligations ou du bien-fondé de toute accusation portée contre elle.

Le tribunal peut toutefois ordonner le huis clos dans l'intérêt de la morale ou de l'ordre public.

Toute personne a le droit de se faire représenter par un avocat ou d'en être assistée devant tout tribunal.

Une personne ne peut être jugée de nouveau pour une infraction dont elle a été acquittée ou dont elle a été déclarée coupable en vertu d'un jugement passé en force de chose jugée.

Aucun témoignage devant un tribunal ne peut servir à incriminer son auteur, sauf le cas de poursuites pour parjure ou pour témoignages contradictoires.

10. Une personne arrêtée ou détenue :

1° doit être traitée avec humanité et avec le respect dû à la personne humaine;

2° a le droit d'être promptement informée des motifs de son arrestation ou de sa détention;

3° a le droit, sans délai, d'en prévenir ses proches et de recourir à l'assistance d'un avocat. Elle doit être promptement informée de ces droits;

4° doit être promptement conduite devant le tribunal compétent ou relâchée.

Une personne arrêtée ou détenue ne peut être privée, sans juste cause, du droit de recouvrer sa liberté sur engagement, avec ou sans dépôt ou caution, de comparaître devant le tribunal dans le délai fixé.

11. Une personne détenue dans un établissement de détention :

1° a le droit d'être soumise à un régime distinct approprié à son sexe, son âge et sa condition physique ou mentale;

2° a le droit, en attendant l'issue de son procès, d'être séparée, jusqu'au jugement final, des prisonniers qui purgent une peine.

Toute personne privée de sa liberté a le droit de recourir à l'*habeas corpus*.

12. Une personne accusée :

1° a le droit d'être promptement informée de l'infraction particulière qu'on lui reproche;

2° a le droit d'être jugée dans un délai raisonnable;

3° est présumée innocente jusqu'à ce que la preuve de sa culpabilité ait été établie suivant la loi;

4° a droit à une défense pleine et entière et a le droit d'interroger et de contre-interroger les témoins;

5° a le droit d'être assistée gratuitement d'un interprète si elle ne comprend pas la langue employée à l'audience ou si elle est atteinte de surdité;

6° ne peut être contrainte de témoigner contre elle-même lors de son procès.

13. Une personne accusée :

1° ne peut être condamnée pour une action ou une omission qui, au moment où elle a été commise, ne constituait pas une infraction d'après le droit interne du Québec et n'avait pas de caractère criminel en vertu du droit international;

2° a droit à la peine la moins sévère lorsque la peine prévue pour l'infraction a été modifiée entre la perpétration de l'infraction et le prononcé de la sentence;

3° a droit à un procès par jury lorsque la peine prévue est de cinq ans d'emprisonnement ou plus.

14. Toute personne a le droit de soumettre des pétitions au Parlement du Québec, des représentations, des réclamations ou des plaintes pour défendre ses droits, la *Constitution nationale du Québec* ou l'intérêt général.

Tous les citoyens ont le droit de prendre part à la vie politique et à la direction des affaires de l'État.

15. Tous les citoyens âgés de 18 ans accomplis disposent du droit de vote, sauf les incapacités prévues par la loi, lors des élections et des référendums.

16. Toute personne a droit de vivre dans un environnement sain et respectueux de la biodiversité.

CHAPITRE II

DROITS ÉCONOMIQUES, SOCIAUX, LINGUISTIQUES ET CULTURELS

17. Toute personne dans le besoin a droit, pour elle et sa famille, à des mesures d'assistance financière et à des mesures sociales susceptibles de lui assurer un niveau de vie décent.

18. Toute personne qui travaille a droit à des conditions de travail justes et raisonnables et qui respectent sa santé, sa sécurité et son intégrité physique.

19. Tout enfant a droit à la protection, à la sécurité et à l'attention que ses parents ou les personnes qui en tiennent lieu peuvent lui donner.

Les conjoints ont, dans le mariage, les mêmes droits, obligations et responsabilités. Ils assurent ensemble la direction morale et matérielle de la famille et l'éducation de leurs enfants communs.

Toute personne âgée ou toute personne handicapée a le droit d'être protégée contre toute forme d'exploitation.

Telle personne a aussi droit à la protection et à la sécurité que doivent lui apporter sa famille ou les personnes qui en tiennent lieu.

20. Toute personne a droit à ce que communiquent en français avec elle l'Administration, les services de santé et les services sociaux, les entreprises d'utilité publique, les ordres professionnels, les associations de salariés et les diverses entreprises exerçant au Québec.

En assemblée délibérante, toute personne a le droit de s'exprimer en français.

Les travailleurs ont le droit d'exercer leurs activités en français.

Les consommateurs de biens ou de services ont le droit d'être informés et servis en français.

Toute personne admissible à l'enseignement au Québec a le droit de recevoir cet enseignement en français.

21. Les personnes appartenant aux nations autochtones ont droit à l'enseignement dans leurs langues autochtones. Les institutions d'enseignement des nations autochtones poursuivent comme objectif l'usage du français comme langue d'enseignement en vue de permettre aux diplômés de leurs écoles de poursuivre leurs études en français, s'ils le désirent, dans les écoles, collèges ou universités du Québec.

22. Les personnes appartenant à la communauté anglophone ont le droit d'utiliser la langue anglaise dans l'exercice de tous leurs droits.

Les enfants dont les parents ont reçu une instruction en langue anglaise au niveau primaire ou secondaire ont le droit de recevoir un enseignement de niveaux primaire et secondaire en langue anglaise. Les institutions d'enseignement de la communauté anglophone poursuivent comme objectif l'usage du français comme langue d'enseignement en vue de permettre aux diplômés de leurs écoles de poursuivre leurs études en français, s'ils le désirent, dans les écoles, collèges ou universités du Québec.

23. Toute personne a le droit à l'instruction publique gratuite.

24. Les personnes appartenant à des minorités ethniques ont le droit de maintenir et de faire progresser leur vie culturelle avec les autres membres de leur groupe.

25. Toute personne a droit à l'information.

26. Les arts et la recherche scientifique sont libres. La liberté académique est respectée.

TITRE III

DES DROITS FONDAMENTAUX DES COLLECTIVITÉS

CHAPITRE I

DES DROITS FONDAMENTAUX DES NATIONS AUTOCHTONES

27. Les droits existants, ancestraux ou issus des traités, des nations autochtones du Québec sont reconnus et garantis. Les droits issus des traités conclus ultérieurement à l'entrée en vigueur de la *Constitution nationale du Québec* jouissent de la même protection.

Les nations autochtones ont le droit d'utiliser, de développer, de revitaliser et de transmettre aux générations futures leurs traditions orales, religieuses et culturelles.

L'autonomie gouvernementale des nations autochtones est le droit d'avoir et de contrôler, dans le cadre d'ententes avec le gouvernement du Québec, des institutions qui correspondent à leurs besoins dans les domaines de la culture, de l'éducation, de la langue, des services sociaux et du développement économique.

CHAPITRE II

DES DROITS FONDAMENTAUX DE LA COMMUNAUTÉ ANGLOPHONE

28. La communauté anglophone a droit à la préservation et au libre développement de son identité historique, linguistique et culturelle et de ses institutions.

29. La communauté anglophone a un droit de gestion à l'égard des établissements d'enseignement qui offrent un enseignement de niveaux primaire et secondaire en anglais et des établissements publics qui dispensent en langue anglaise un service d'intérêt général éducatif, sanitaire, religieux ou culturel.

TITRE IV

DES DEVOIRS FONDAMENTAUX DES COLLECTIVITÉS

30. Les collectivités exercent leurs droits fondamentaux dans le respect de la *Constitution nationale du Québec* ainsi que des lois et du territoire du Québec.

APPENDICE

Hymne national du Québec

GENS DU PAYS

Paroles : Gilles Vigneault
Musique : Gilles Vigneault et Gaston Rochon

Le temps que l'on prend pour dire : Je t'aime
C'est le seul qui reste au bout de nos jours
Les vœux que l'on fait les fleurs que l'on sème
Chacun les récolte en soi-même
Aux beaux jardins du temps qui court

Gens du Pays c'est votre tour
De vous laisser parler d'amour
Gens du Pays c'est votre tour
De vous laisser parler d'amour

Le temps de s'aimer, le jour de le dire
Fond comme la neige aux doigts du printemps
Fêtons de nos joies, fêtons de nos rires
Ces yeux où nos regards se mirent
C'est demain que j'avais vingt ans

Gens du Pays c'est votre tour
De vous laisser parler d'amour
Gens du Pays c'est votre tour
De vous laisser parler d'amour

Le ruisseau des jours aujourd'hui s'arrête
Et forme un étang où chacun peut voir
Comme en un miroir l'amour qu'il reflète
Pour ces coeurs à qui je souhaite
Le temps de vivre leurs espoirs

Gens du Pays c'est votre tour
De vous laisser parler d'amour
Gens du Pays c'est votre tour
De vous laisser parler d'amour

TABLE DES MATIÈRES

Constitution nationale du Québec

ANNEXE

Charte québécoise des devoirs et droits fondamentaux

Préambule

Titre I : **Des devoirs fondamentaux des personnes (art. 1)**

Titre II : **Des droits fondamentaux des personnes (art. 2 à 26)**

Chapitre I : Des droits civils, judiciaires, politiques et écologiques (art. 2 à 16)
Chapitre II : Des droits économiques, sociaux, linguistiques et culturels (art. 17 à 26)

Titre III : **Des droits fondamentaux des collectivités (art. 27 à 29)**

Chapitre I : Des droits fondamentaux des nations autochtones (art. 27)
Chapitre II : Des droits fondamentaux de la communauté anglophone (art. 28 à 29)

Titre IV : **Des devoirs fondamentaux des collectivités (art. 30)**

ANNEXE 4

PROJET DE LOI N^{o}

LOI SUR L'ASSEMBLÉE CONSTITUANTE

Rédigée par

Daniel TURP
Député de Mercier

PRÉAMBULE

CONSIDÉRANT que les Québécoises et les Québécois sont libres d'assumer leur propre destin, de déterminer leur statut politique et d'assurer leur développement économique, social et culturel;

CONSIDÉRANT, dès lors, qu'il y a lieu d'instituer une Assemblée constituante afin de transformer la *Constitution initiale du Québec* en *Constitution nationale du Québec*;

LE PARLEMENT DU QUÉBEC DÉCRÈTE CE QUI SUIT :

CHAPITRE I

ASSEMBLÉE CONSTITUANTE

1. Est instituée, sous l'autorité de l'Assemblée nationale, une commission parlementaire spéciale désignée sous le nom d'« Assemblée constituante du Québec ».

2. L'Assemblée constituante a pour mandat de rédiger le projet de *Constitution nationale du Québec* et de formuler, à cet égard, des recommandations à l'Assemblée nationale.

3. L'Assemblée constituante doit faire rapport à l'Assemblée nationale.

Elle remet son rapport à la présidence de l'Assemblée nationale et le rend public par les moyens qu'elle juge appropriés.

4. La présidence de l'Assemblée nationale dépose le rapport devant l'Assemblée nationale sans délai ou, si elle ne siège pas, dans les 15 jours de la reprise de ses travaux.

CHAPITRE II

DISPOSITIONS GÉNÉRALES

SECTION I

Composition

5. L'Assemblée constituante est composée de 400 membres, y compris les personnes occupant la présidence et la vice-présidence.

Les personnes suivantes, nommées par l'Assemblée nationale ou, si elle ne siège pas, par la présidence de l'Assemblée nationale, font partie de l'Assemblée constituante à compter de leur nomination;

1° les 125 députés de l'Assemblée nationale du Québec;

2° les 75 députés de la Chambres des communes du Canada, représentant une circonscription électorale située au Québec.

3° 200 personnes élues au suffrage universel, selon un système de représentation proportionnelle ayant comme objectif la parité hommes-femmes et une meilleure représentation des Québécoises et des Québécois d'origines et de milieux divers.

6. La présidence du Québec désigne les personnes assumant la présidence et la vice-présidence de l'Assemblée constituante.

7. Les membres de l'Assemblée constituante ont droit de vote et le droit de présenter des motions.

8. Les membres de l'Assemblée constituante reçoivent les allocations déterminées par un règlement du Bureau de l'Assemblée nationale.

9. Lorsqu'il siège à l'Assemblée constituante, un député de l'Assemblée nationale jouit des mêmes droits, privilèges et immunités et a les mêmes obligations que s'il siégeait à une commission parlementaire.

Nul autre membre de l'Assemblée constituante ne peut être poursuivi pour un acte fait de bonne foi dans l'exercice de ses fonctions.

SECTION II

Organisation, fonctionnement, gestion et dépenses

1 - Organisation

10. La présidence de l'Assemblée constituante établit le plan d'effectifs, les prévisions des dépenses et le plan des travaux de l'Assemblée constituante. Elle autorise les demandes au Bureau de l'Assemblée nationale.

Elle convoque et anime les séances de l'Assemblée constituante. Elle participe à ses délibérations, dirige ses travaux et veille à la bonne exécution de ses décisions.

11. La présidence exerce, pour l'application du présent chapitre, les attributions conférées à un dirigeant d'organisme. Elle peut, malgré toute disposition de la loi, déléguer ces attributions à toute personne qu'elle désigne.

12. En cas d'empêchement de la présidence de l'Assemblée constituante ou à sa demande, la vice-présidence le remplace et exerce ses fonctions.

13. Pour l'exécution de son mandat, l'Assemblée constituante est assistée d'un secrétariat.

Le secrétaire et le secrétaire adjoint de l'Assemblée constituante sont nommés par la présidence.

14. Sur autorisation de la présidence, le secrétaire peut retenir les services de toute personne pour faire partie du secrétariat de l'Assemblée constituante.

15. La rémunération et les autres conditions de travail du personnel de secrétariat sont déterminées par le Bureau de l'Assemblée nationale.

16. Sous l'autorité exclusive de la présidence, le secrétaire de l'Assemblée constituante en dirige le personnel, en administre les affaires courantes et exerce les autres fonctions que lui attribue la présidence.

17. Le secrétaire assiste aux séances de l'Assemblée constituante.

Le secrétaire ou, le cas échéant, le secrétaire adjoint voit à la préparation des procès-verbaux et peut en attester l'authenticité. Le secrétaire a la garde des archives de l'Assemblée constituante.

18. En cas d'empêchement du secrétaire ou du secrétaire adjoint, toute autre personne désignée par la présidence le remplace et exerce ses fonctions.

19. La présidence et le secrétaire général de l'Assemblée nationale fournissent au secrétariat de l'Assemblée constituante toute l'aide nécessaire à l'exercice de leur mandat, y compris l'apport de personnel.

2 – Fonctionnement

20. L'Assemblée constituante peut, en vue de l'exécution de son mandat, commander les études et mener les consultations qu'elles jugent nécessaires et entendre toute personne ou tout organisme intéressé.

21. L'Assemblée constituante siège en public, sauf s'il s'agit d'une séance de travail ou d'une séance tenue à huis clos.

22. Elle peut siéger à tout endroit sur le territoire du Québec.

23. Le quorum de l'Assemblée constituante est constitué de la majorité des membres. Dans le cas de la formation d'une sous-commission, le quorum de celle-ci est constitué de la majorité de ses membres.

3 – Gestion et dépenses

24. L'Assemblée constituante peut faire toute dépense nécessaire à l'exercice de son mandat. Ses dépenses font partie des dépenses de l'Assemblée nationale.

25. Les prévisions de dépenses de l'Assemblée constituante sont approuvées par le Bureau de l'Assemblée nationale.

SECTION IV

Dispositions diverses

26. Le Bureau de l'Assemblée nationale peut, par règlement, apporter, pour l'application de la présente loi, des modifications aux règlements et règles qu'il a adoptés relativement à la gestion et aux dépenses de l'Assemblée nationale.

27. Sur proposition de la présidence du Québec, l'Assemblée nationale décide de la cessation d'existence de l'Assemblée constituante.

28. Dès la cessation d'existence de l'Assemblée constituante, ses archives deviennent les archives de l'Assemblée nationale.

29. Les sommes requises pour l'application du présent chapitre sont prises sur le fonds consolidé du revenu.

CHAPITRE III

DISPOSITION FINALE

30. La présente loi entre en vigueur au moment de sa promulgation par l'Assemblée nationale.

NOTES

1. La *Constitution du Canada* est définie à l'article 52 de *Loi constitutionnelle de 1982*, annexe B de la *Loi de 1982 sur le Canada*, 1982, R.-U., c. 11, [Lois refondues du Canada] L.R.C. 1985, appendice II, n° 44 et comprend une série de lois énumérées au paragraphe 2 de cet article. Au sujet de la Constitution du Canada, voir Henri BRUN et Guy TREMBLAY, *Droit constitutionnel*, 4e éd., Montréal, Éditions Yvon Blais, 2002, p. 11 et ss, André TREMBLAY, *Droit constitutionnel – Principes*, 2e éd., Montréal, Les Éditions Thémis, 2000, p. 6 et ss. et Nicole DUPLÉ, *Droit constitutionnel : principes fondamentaux*, Montréal, Wilson & Lafleur, 2000, p. 28 et ss.

2. Lois du Canada [L.C.], 1996, c. 1. Voir au sujet de cette loi Benoît PELLETIER, *La modification constitutionnelle au Canada*, Toronto, Carswell, 1996, aux pp. 321 et ss.

3. Voir Pierre ELLIOTT TRUDEAU, « L'accord du lac Meech rendra le Canada impotent », *La Presse*, 27 mai 1987, p. A-1.

4. PARTI LIBÉRAL DU QUÉBEC, *Un projet pour le Québec : affirmation, autonomie et leadership*, Montréal, Parti libéral du Québec, octobre 2001, p. 120.

5. *Loi sur la proposition québécoise de paix constitutionnelle*, (Présentation), première session, 36e législature, [1999] (Qué.).

6. ACTION DÉMOCRATIQUE DU QUÉBEC, *Faire enfin gagner le Québec : rapport du Comité constitutionnel*, Québec, Action démocratique du Québec, 1er mars 2001, p. 21-32.

7. ACTION DÉMOCRATIQUE DU QUÉBEC, *L'ADQ : la voie autonomiste*, Québec, octobre 2004, p. 14-17.

8. PARTI QUÉBÉCOIS, *Un projet de pays* (Déclaration de principes - Programme de pays) - Proposition d'amendement global au programme du Conseil exécutif national, dans PARTI QUÉBÉCOIS - COMMISSION PERMANENTE DU PROGRAMME, *Cahier d'amendements au programme en vue des congrès des circonscription*, Conseil national, 16 et 17 octobre 2004, p. 8-9.

9. UNION DES FORCES PROGRESSISTES, *Plate-forme provisoire de l'Union des forces progressistes*, 15-16 juin 2002, p. 1. Le mouvement politique Option citoyenne, qui s'est engagé sur la voie d'une fusion

avec l'Union des forces progressistes en décembre 2004, a tenu une rencontre nationale les 12, 13 et 14 novembre 2004. L'idée d'une constitution du Québec n'a pas fait l'objet d'un examen à cette occasion, mais il y fut question du « processus à proposer à la population québécoise pour décider de son avenir constitutionnel » : voir OPTION CITOYENNE, *Pour un Québec du bien commun et souverain*, p. 4.

10. SECRÉTARIAT À LA RÉFORME DES INSTITUTIONS DÉMOCRATIQUES, *Les résultats du scrutin des États généraux*, Québec, Secrétariat à la réforme des institutions démocratiques, affichés à l'adresse http://www.institutions-democratiques.gouv.qc.ca/archives/archives.htm.

11. Guy LAFOREST, *Pour la liberté d'une société distincte - Parcours d'un intellectuel engagé*, Québec, P.U.L., 2004, p. 351.

12. Voir Guilano D'ANDREA, Richard SMITH et Deepak AWASTI, « Anglos should welcome Quebec constitution », *The Subarban.com*, October 6, 2004, vol. 43, n° 35, affiché à l'adresse http://www.thesuburban.com/content.jsp?sid=21350189942602711094990693812&ctid=1000004&cnid=1000892

13. Voir Pierre-Marc DAIGNEAULT, *Une constitution formelle pour le Québec : mais qu'attendons-nous?*, Mémoire présenté à la Fondation Jean-Charles-Bonenfant, Québec, 21 juin 2004, dont une version abrégée est publiée sous le titre « Une Constitution pour le Québec : qu'attendons-nous? », *Combats*, volume 8, numéros 1 et 2, automne – hiver 2004-2005, p. 13.

14. Voir Denis MONIÈRE, « Le besoin d'une Constitution québécoise », *L'action nationale*, vol. XCV, n° 2, février 2005, p. 30.

15. Jacques-Yvan MORIN et José WOEHRLING, *Les Constitutions du Canada et du Québec du régime français à nos jours*, Montréal, Les Éditions Thémis, 2e éd, 1994, tome premier, p. 3 [ci-après dénommé MORIN et WOERHLING].

16. MORIN et WOERHLING, tome premier, p. 3.

17. Voir le texte des articles de la capitulation dans MORIN et WOEHRLING, tome deuxième, p. 43-53.

18. Ainsi, l'article 4 du *Traité de Paris* « convient d'accorder aux Habitans du Canada la liberté de la Religion Catholique; En consé-

quence Elle donnera les Ordres les plus précis & effectifs, pour que ses nouveaux Sujets Catholiques Romains puissent professer le Culte de leur Religion selon le rite de l'Église Romaine, en tant que le permettent les Loix de la Grande-Bretagne [...] » : *id.*, p. 56.

19. *Id.*, p. 60.

20. *Id.*, p. 66.

21. *An Act for making more effectual Provision for the Government of the Province of Quebec in North America*, 1774, 14 Geo. III. c. 83. Le titre français de cette loi, qui n'a jamais été revêtu d'un caractère officiel, est *Acte à l'effet de pourvoir de façon plus efficace au gouvernement de la Province de Québec dans l'Amérique du Nord* [ci-après dénommé *Acte de Québec*]. Il est intéressant de noter qu'une version préliminaire du titre de cette loi référait à la *Constitution* de la Province de Québec : *An Act for making more effectual Provision for the Government of the Province of Quebec in North America; and for removing Doubts which have arisen relative to the Laws and Constitution of the said province since His Majesty's Royal Proclamation of the 7th of October 1763*. Pour la version manuscrite de cette version préliminaire, voir la dernière page du présent livre.

22. *Acte de Québec*, art. IV (l'italique est de nous).

23. *Acte de Québec*, art. VIII. Voir aussi l'article X.

24. *Id.*, art. XII.

25. *An Act to repeal certain Parts of an Act, passed in the fourteenth Year of his Majesty's Reign, intitled, An Act for making more effectual Provision for the Government of the Province of Quebec, in North America; and to make further Provision for the Government of the said Province*, 31 Geo. III, c. 31 (U.K.), dont le titre français, non officiel, est : *Acte abrogeant certaines parties d'une loi votée la quatorzième année du règne de Sa Majesté, intitulée « Acte à l'effet de pourvoir de façon plus efficace au gouvernement de la province de Québec dans l'Amérique du Nord » et arrêtant de nouvelles dispositions pour le gouvernement de ladite province* [ci-après dénommée l'*Acte constitutionnel*].

26. *Acte constitutionnel*, art. II.

27. Résolution 9, reproduite dans MORIN et WOEHRLING, tome deuxième, p. 94.

28. *Id.*, p. 97 (l'italique est de nous).

29. Id., p. 98 (l'italique est de nous).

30. Voir la *Déclaration d'indépendance du Bas-Canada*, affichée à l'adresse http://pages.videotron.com/nh1837/contexhi/declara2.htm, art. 15 (l'italique est de nous).

31. *Le Rapport de Durham*, présenté, traduit et annoté par Marcel-Pierre Hamel, Société historique de Montréal, Éditions du Québec, 1948, p. 311-312 et 321-322.

32. *An Act to reunite the Provinces of Upper and Lower Canada, and for the Government of Canada*, 3 & 4 Vict., c. 35 (U.K.) (*Acte pour réunir les provinces du Haut et du Bas-Canada, et pour le gouvernement du Canada*) [ci-après dénommée l'*Acte d'Union*].

33. *An Act for the Union of Canada, Nova Scotia, and New Brunswick, and the Government thereof; and for Purposes connected therewith*, 30-31 Vict., c. 3 (U.K.), connue comme le *British North America Act* et dont il n'existe pas encore aujourd'hui de version officielle en langue française, si on excepte le titre qui lui a été attribué par le Canada Act, à savoir la *Loi constitutionnelle de 1867*.

34. *Loi constitutionnelle de 1867*, préambule (l'italique est de nous).

35. *Voir Reference Re Offshore Mineral Rights of British Columbia*, [1967] Rapports de la Cour suprême du Canada [R.C.S.] 792 et *Renvoi au sujet de la propriété et de la compétence législative relatives au sol et au sous-sol du plateau continental au large de Terre-Neuve*, [1967] 1 R.C.S. 86.

36. *Loi constitutionnelle de 1940*, 3-4 George VI, ch. 36 (Royaume-Uni).

37. Voir Eugénie BROUILLET, « La dilution du principe fédératif et la jurisprudence de la Cour suprême du Canada », (2004) 45 *Les Cahiers de droit* 7.

38. Une seule province s'est d'ailleurs prévalue de la possibilité de se doter d'une constitution provinciale. Il s'agit de la Colombie-Britannique dont l'assemblée législative a adopté en 1979 une telle constitution : voir *Constitution Act*, R.S.B.C. 1996, c. 66. Mais, comme le fait remarquer Jacques-Yvan Morin, il s'agit d'une loi ordinaire, *loc.*

cit. infra, note 52, à la p. 176. Sur les constitutions provinciales, voir la compilation effectuée par Christian L. WIKTOR et Guy TANGUAY (dir.), *Les constitutions du Canada : fédérale et provinciales*, New York, Dobbs Ferry, Oceana, 1978.

39. L'article 54 de la *Charte de Victoria* contient d'ailleurs une disposition voulant que « dans chaque province, la législature a le pouvoir exclusif d'édicter en tout temps des lois modifiant la Constitution de la province ».

40. Sur toutes ces négociations constitutionnelles, voir André TREMBLAY, *La réforme de la Constitution du Canada*, Montréal, Les Éditions Thémis, 1995, p. 42-53.

41. COMMISSION DE L'UNITÉ CANADIENNE, *Se retrouver, observations et recommandations*, 1979.

42. *An Act to give effect to a request by the Senate and House of Commons of Canada*, (U.K.) 1982, c. 11., ci-après dénommé *Loi sur le Canada*.

43. GOUVERNEMENT DU QUÉBEC, *Projet d'accord constitutionnel - Propositions du gouvernement du* Québec, Québec, Gouvernement du Québec, 1985.

44. Gilles LESAGE, « L'égarement dans le labyrinthe constitutionnel », *Le Devoir*, 5 octobre 1996, p. A-10.

45. Vincent MARISSAL, « Un monument au Canada anglais », *La Presse*, 29 septembre 2000, p. A-8.

46. Voir le *Rapport du Comité spécial pour examiner le projet de résolution d'accompagnement à l'Accord du lac Meech*, Ottawa, Ministère des Approvisionnements et services, 1990, reproduit dans André TREMBLAY, *supra* note 40, p. 373-388.

47. *Débats de l'Assemblée nationale du Québec*, première session, 34e législature, vendredi 22 juin 1990, vol. 31, nº 62, p. 4134.

48. Voir COMMISSION SUR L'AVENIR POLITIQUE ET CONSTITUTIONNEL DU QUÉBEC, *Rapport*, Québec, 1991 [ci-après dénommée commission Bélanger-Campeau].

49. Lois du Québec [L.Q.], 1991, c. 34.

50. *Loi modifiant la Loi sur le processus de détermination de l'avenir politique et constitutionnel du Québec*, L.Q. 1992, c. 47. L'article 1er de la loi, dont le texte original prévoit que « [l]e gouvernement du Québec tient un référendum sur la souveraineté du Québec entre le 8 juin et le 22 juin 1992 ou entre le 12 octobre et le 26 octobre 1992. Le résultat du référendum a pour effet, s'il est favorable à la souveraineté, de proposer que le Québec acquière le statut d'État souverain un an, jour pour jour, à compter de la date de sa tenue » est ainsi remplacé par le suivant : « Le gouvernement du Québec tient, au plus tard le 26 octobre 1992, un référendum sur un nouveau partenariat de nature constitutionnelle résultant des réunions sur la constitution tenues en août 1992 ».

51. Pour le texte de la *Modification constitutionnelle de 1992*, voir André TREMBLAY, *supra* note 40, p. 363-395.

52. Cette déclaration est rapportée par Renaud Lapointe et est citée dans Alain G. GAGNON, « Égalité ou indépendance : un tournant dans la pensée constitutionnelle du Québec », dans Robert COMEAU, Michel LÉVESQUE et Yves BÉLANGER (dir.), *Johnson : rêve d'égalité et projet d'indépendance*, Québec, Presses de l'Université du Québec, 1991, p. 177.

53. Cet extrait du programme est reproduit dans MOUVEMENT SOUVERAINETÉ-ASSOCIATION - RASSEMBLEMENT POUR L'INDÉPENDANCE NATIONALE, *Un parti à fonder pour un pays à bâtir - Une information systématique pour une participation authentique*, Documentation d'appui préparée par le Centre de recherche et de documentation - Congrès de fondation MSA-RIN, 11-14 octobre 1968 [ci-après dénommé *Un parti à fonder*], p. P-b-14.

54. Cette résolution est reproduite dans *Un parti à fonder,* p. P-b-14.

55. *Débats de l'Assemblée législative du Québec,* Première session, 28e législature, mardi 21 février 1967, vol. 5, no 29, p. 1442.

56. Le Comité de la constitution se réunit le 28 novembre (*Débats de l'Assemblée législative du Québec*, troisième session, 28e législature, Comité de la constitution (1), 28 novembre 1968, p. 545-561) et le 4 décembre 1968 (*Débats de l'Assemblée législative du Québec*, troisième session, 28e législature, Comité de la constitution (2), 4 décembre 1968, p. 563-579) et la Commission de la Constitution siège quant à elle le 14 août 1969 (*Débats de l'Assemblée législative du Québec*, quatrième ses-

droits de la jeunesse) c. *Montréal (Ville)*; *Québec (Commission des droits de la personne et des droits de la jeunesse)* c. *Boisbriand* (Ville), [2000] 1 R.C.S. 665.

69. *Loi modifiant la Charte des droits et libertés de la personne*, L.Q. 1982, c. 61, art. 16.

70. Jacques-Yvan MORIN, « La constitutionnalisation progressive de la Charte des droits et libertés de la personne », (1987) 21 *Revue juridique Thémis* 25. Voir aussi Pierre-Marc DAIGNEAULT, *La constitutionnalisation de la Charte québécoise des droits et libertés de la personne : un projet nécessaire*, Mémoire réalisé dans le cadre du stage parlementaire de la Fondation Jean-Charles-Bonenfant, juin 2004.

71. L.Q., 1974, c. 46.

72. L.Q., 1969, c. 9.

73. L.R.Q., c. C- 11.

74. *Id.*, préambule.

75. Le chapitre II de la *Charte de la langue française* se présente ainsi :

> CHAPITRE II
> LES DROITS LINGUISTIQUES FONDAMENTAUX
>
> 2. Toute personne a le droit que communiquent en français avec elle l'Administration, les services de santé et les services sociaux, les entreprises d'utilité publique, les ordres professionnels, les associations de salariés et les diverses entreprises exerçant au Québec.
> 3. En assemblée délibérante, toute personne a le droit de s'exprimer en français.
> 4. Les travailleurs ont le droit d'exercer leurs activités en français.
> 5. Les consommateurs de biens ou de services ont le droit d'être informés et servis en français.
> 6. Toute personne admissible à l'enseignement au Québec a droit de recevoir cet enseignement en français.

76. Il y a lieu de rappeler que, dans sa première version, la *Charte de la langue française* se voyait donner une préséance sur les droits garantis

par la *Charte des droits et libertés* : voir Projet de loi n° 1, *Charte de la langue française*, deuxième session, 31e législature, [1977] (Qué.), art. 172.

77. COMMISSION DES DROITS DE LA PERSONNE ET DES DROITS DE LA JEUNESSE, *Après 25 ans la Charte québécoise des droits et libertés* - Bilan et recommandations, Québec, 2003, volume 1, p. 93.

78. Voir les recommandations 20 à 25, *id.*, p. 96-105. Parmi ces recommandations, la plus importante demeure sans conteste celle voulant qu'une modification aux articles 1 à 48 de la Charte doive être adoptée par les deux tiers des membres de l'Assemblée nationale et qui transformerait la *Charte des droits et libertés* de loi quasi constitutionnelle en loi constitutionnelle.

79. COMMISSION DES ÉTATS GÉNÉRAUX SUR LA SITUATION ET L'AVENIR DE LA LANGUE FRANÇAISE AU QUÉBEC, *Le français, une langue pour tout le monde - Une nouvelle approche stratégique et citoyenne*, Québec, 2001, p. 229-230. Voir aussi les développements du deuxième chapitre intitulé « Conférer un caractère constitutionnel aux principes fondateurs de la politique linguistique » aux p. 23 à 31 du rapport. Voir aussi le mémoire que j'ai présenté le 16 mars 2001 à la Commission : Daniel TURP, *Pour une constitutionnalisation québécoise des droits linguistiques fondamentaux*, affiché à l'adresse http://www.danielturp.org/constitution-quebec/documents/linguistiques.htm.

80. Voir les développements consacrés à la question d'une constitution d'un Québec souverain dans la remarquable monographie de Jacques BROSSARD, *L'accession à la souveraineté et le cas du Québec*, Montréal, Presses de l'Université de Montréal 1976, p. 365-373.

81. Voir les résolutions adoptées par l'atelier politique des États généraux en mars 1969 décrivant de façon détaillée les éléments devant être intégrés dans une constitution du Québec et affichées à l'adresse http://agora.qc.ca/reftext.nsf/Documents/Constitution_quebecoise—La_constitution_de_lEtat_du_Quebec.

82. Le programme du Rassemblement pour l'indépendance nationale (R.I.N.) prévoit que : « 212. [...] Au moment de l'indépendance, les institutions politiques existantes demeureront en place et continueront de fonctionner jusqu'à la date fixée pour la proclamation de l'indépendance et pour la convocation d'une assemblée constituante :

Celle-ci étudiera les propositions que le gouvernement lui soumettra, les modifiera selon son bon vouloir et adoptera une constitution du Québec [...] ». Les paragraphes 213 à 221 de ce programme présentent par ailleurs certains principes essentiels qu'un gouvernement du R.I.N. ferait inclure dans la future constitution du Québec : voir *Un parti à fonder*, p. P-b-13.

83. Une brève mention de la question de la constitution est faite dans le programme du Rassemblent national (R.N.) et veut qu'« [u]ne Déclaration des droits de l'Homme, inspirée de celle des Nations Unies, s[oit] incluse dans la Constitution de l'État du Québec, afin de garantir les libertés essentielles à tout citoyen québécois » : voir *Un parti à fonder*, p. P-b-12.

84. L'article 9.9 du programme du Parti socialiste du Québec (P.S.Q.) se lit ainsi : « 9.9 Une constitution québécoise. Les pouvoirs reconnus à l'État du Québec devront permettre à son gouvernement et à sa législature de devenir le centre de décisions portant sur l'organisation socialiste de l'économie et de la sécurité sociale. Le Québec se donnera une constitution qui favorisera l'essor de la nation canadienne-française sur tous les plans ». Voir *Un parti à fonder*, p. P-b-13.

85. Le programme du Mouvement souveraineté-association (M.S.A.) réfère à la constitution du Québec dans les termes généraux suivants : « État souverain, le Québec adoptera, avec l'assentiment populaire, une Constitution organique. Cette Constitution reflètera les aspirations et la nature réelle du peuple québécois. Elle sera conçue de façon à favoriser le mieux-être matériel et l'épanouissement social et culturel des Québécois ainsi que le développement d'un Québec francophone et progressiste ». Voir *Un parti à fonder*, p. P-b-12.

86. PARTI QUÉBÉCOIS, *Programme*, Édition 1969, p. 69.

87. *Id.* p. 69-70.

88. PARTI QUÉBÉCOIS, *Le programme - L'action politique - Les Statuts et règlements*, Montréal, Les Éditions du Parti Québécois, Édition 1971, p. 25.

89. PARTI QUÉBÉCOIS, *Le programme - L'action politique - Les Statuts et règlements*, Montréal, Les Éditions du Parti Québécois, Édition 1975, p. 5.

90. *Id.*, p. 6.

91. PARTI QUÉBÉCOIS, *Programme officiel du Parti Québécois*, Édition 1980, p. 8-9.

92. *Id.*, p. 4.

93. GOUVERNEMENT DU QUÉBEC, *D'égal à égal - La nouvelle entente Québec-Canada - Proposition du gouvernement du Québec pour une entente d'égal à égal : la souveraineté-association*, Québec, Éditeur officiel, 1979, p. 59-62.

94. L.Q. 1990, c. 34 [ci-après dénommée la *Loi sur l'avenir politique et constitutionnel du Québec*].

95. *Id.*, préambule.

96. Voir l'essai rédigé à cette époque par Jacques DUFRESNE, *Le courage et la lucidité : essai sur la constitution d'un Québec souverain*, Sillery, Septentrion, 1990. Voir également les contributions subséquentes d'André BINETTE, « Pour une constitution du Québec », *Le Devoir*, 11 décembre 1992, p. B-8 et de Marc CHEVRIER, « Une constitution pour le peuple québécois », *L'Agora*, vol. 2, no 10, été 1995, p. 13.

97. COMMISSION BÉLANGER-CAMPEAU, *supra*, note 48. p. 60.

98. *Ibid.*

99. *Supra*, note 49. Cette loi comporte d'ailleurs un préambule de 18 paragraphes très similaire à celui de la *Loi sur l'avenir politique et constitutionnel du Québec*, mais comporte un nouveau considérant faisant référence à « la volonté du Québec d'assurer l'égale compréhension de tous tant à l'égard des changements nécessaires pour rendre acceptable au Québec le système fédéral canadien qu'à l'égard d'une juste définition de la souveraineté et de ses implications politiques, économiques, sociales et culturelles » et qui ouvre la voie à une analyse plus approfondie de la place de la constitution dans un Québec souverain ».

100. COMMISSION DES QUESTIONS AFFÉRENTES À L'ACCESSION DU QUÉBEC À LA SOUVERAINETÉ, *L'élaboration d'une constitution*, document nº 21, 12 décembre 1991.

101. Jacques-Yvan MORIN, « La Constitution d'un Québec souverain », dans COMMISSION DES QUESTIONS AFFÉRENTES À L'ACCESSION DU QUÉBEC À LA SOUVERAINETÉ, *Les attributs d'un Québec*

souverain : exposés et études, volume 1, Québec, 1992, p. 597-607, reproduit également dans Jacques-Yvan MORIN et José WOEHRLING, *Demain le Québec : choix politiques et constitutionnels d'un pays en devenir*, Montréal, Septentrion, 1994, p. 205-214.

102. Nicole DUPLÉ, « Une constitution pour fonder l'État du Québec », dans COMMISSION DES QUESTIONS AFFÉRENTES À L'ACCESSION DU QUÉBEC À LA SOUVERAINETÉ, *Les attributs d'un Québec souverain : exposés et études*, volume 1, Québec, 1992, p. 581-595.

103. COMMISSION D'ÉTUDE DES QUESTIONS AFFÉRENTES À L'ACCESSION DU QUÉBEC À LA SOUVERAINETÉ, *Projet de rapport*, p. 48-52.

104. Voir PARTI QUÉBÉCOIS, *Des idées pour mon pays - Programme du Parti Québécois*, Montréal, Parti Québécois, Édition 1994, p. 5. Le Conseil exécutif national du Parti Québécois publie également un document d'orientation qui vise, selon son préfacier et président, Jacques Parizeau, à inspirer une réflexion sur l'avenir et qui comporte un développement sur la constitution du Québec : voir PARTI QUÉBÉCOIS, *Le Québec dans un monde nouveau*, Montréal, VLB éditeur, 1994, p. 65-68. La démarche proposée dans le programme de 1994 et précisée dans le document d'orientation du Conseil exécutif national est quelque peu différente de la démarche proposée dans le programme antérieur. Ainsi, dans le programme adopté lors du Congrès national extraordinaire des 25, 26 et 27 novembre 1988, « la constitution du Québec, qui inclura une déclaration de souveraineté et constituera l'acte de naissance du Québec souverain, devra être adoptée par la majorité de la population » : voir PARTI QUÉBÉCOIS, *Programme*, Édition 1990, Montréal, Parti Québécois, 1990, p. 7.

105. Avant-projet de loi – *Loi sur la souveraineté du Québec*, (Dépôt), première session, 35e législature, [1994] (Qué.).

106. *Id.*, art. 3.

107. Pour un commentaire sur l'avant-projet de *Loi sur la souveraineté* et un résumé des propositions formulées pendant les travaux des commissions, voir Daniel TURP, *L'Avant-projet de loi sur la souveraineté du Québec*, Montréal, Les Éditions Yvon Blais, 1995, *passim*.

108. COMMISSION NATIONALE SUR L'AVENIR DU QUÉBEC, *Rapport*, Québec, 1996, p. 18, 79-82.

109. LE CAMP DU CHANGEMENT, *Le cœur à l'ouvrage – Bâtir une nouvelle société québécoise*, 1995, p. 2.

110. *Id.*, p. 72-73.

111. Projet de loi nº 1, *Loi sur l'avenir du Québec* (Présentation), première session, 35e législature, [1995] (Qué.). [ci-après dénommé *Projet de loi nº 1*].

112. *Projet de loi nº 1*, art. 24.

113. Ainsi, Jacques Parizeau évoque en 1998 l'idée de donner un rôle à la constitution du Québec dans le processus d'accession du Québec à la souveraineté : voir Éric TROTTIER, « Parizeau propose de commencer la rédaction de la future constitution du pays du Québec », *La Presse*, 24 mai 1998, p. A-6 et PC, « Rédigeons la Constitution du Québec maintenant, dit Jacques Parizeau », *Le Droit*, 25 mai 1998, p. 16.

114. L.C., 2000, c. 26 [ci-après dénommée la *Loi sur la clarté*].

115. Voir l'essai politique que j'ai consacré à ce plan B dans toutes ses dimensions, y compris la dimension juridique : Daniel TURP, *La nation bâillonnée : le plan B ou l'offensive d'Ottawa contre le Québec*, Montréal, VLB éditeur, 2000.

116. *Renvoi relatif au droit de sécession du Québec*, [1998] 2 R.C.S. 217 [ci-après dénommé le *Renvoi*]. Pour une analyse de ce *Renvoi*, voir Daniel TURP, « Le droit de choisir : essai sur le droit du Québec à disposer de lui-même », dans Daniel TURP, *Le droit de choisir : Essais sur le droit du Québec à disposer de lui-même / The Right to Choose : Essays of Québec's Right to Self-Determination*, Montréal, Éditions Thémis, 2001, p. 767-800. Voir aussi José WOEHRLING, « L'avis de la Cour suprême du Canada sur l'éventuelle sécession du Québec », (1999) 37 *Revue française de droit constitutionnel* 3.

117. *Renvoi*, § 58.

118. *Renvoi*, § 88.

119. Sur la constitutionnalité de cette loi, voir les vues divergentes de Henri BRUN, « Le *Clarity Act* est inconstitutionnel - Le gouvernement du Québec devrait contester par renvoi la constitutionnalité de la loi », *Le Devoir*, 23 février 2000, p. A-7 et Peter HOGG, « La loi " sur la clarté " est conforme au droit constitutionnel - La sécession étant un

geste irréversible, la majorité simple ne suffit pas; le gouvernement fédéral pourrait juger de la solidité d'un OUI après le vote », *Le Devoir*, 25 février 2000, p. A-7. J'ai exprimé mes propres vues sur cette question et conclu à l'inconstitutionnalité de la *Loi sur la clarté* dans « Le droit de choisir », *loc. cit. supra* note 116, p. 793-795.

120. L.Q. 2000, c. 46 [ci-après dénommée la *Loi sur les droits fondamentaux du Québec*].

121. Voir à ce sujet l'analyse que j'ai faite sur les liens entre le *Renvoi relatif au droit de sécession du Québec*, la *Loi sur la clarté* et la *Loi sur les droits fondamentaux du Québec, supra* note 116, p. 786-799.

122. Voir Daniel TURP, *La nation bâillonnée, op. cit. supra* note 115, p. 155-156. Voir aussi Daniel TURP, « Révolution tranquille et évolution constitutionnelle : d'échecs et d'hésitations », dans Yves BÉLANGER, Robert COMEAU et Céline MÉTIVIER (dir.*), La révolution tranquille 40 ans plus tard : un bilan*, Montréal, VLB éditeur, 2000, p. 63-70.

123. Voir Michel VENNE, « Une constitution du Québec? », *Le Devoir*, 3 avril 2000, p. A-7.

124. Voir Denis MONIÈRE, Pierre DE BELLEFEUILLE, Claude-G. CHARRON et Gordon LEFEBVRE, « Assurer l'avenir politique du Québec - Il faut convoquer une assemblée constituante », *Le Devoir*, 3 avril 2000, p. A-7; Marc CHEVRIER, « Au pays des vieux conservateurs - Ou pourquoi le Québec n'a pas de constitution », *Le Devoir*, 10 avril 2000, p. A-7; Daniel TURP, « Une Constitution contre son gré ou une Constitution de son choix? », *Le Devoir*, 17 avril 2000, p. A-7; Jacques-Yvan MORIN, « Une Constitution dans un Québec souverain ou autonome », *Le Devoir*, 25 avril 2000, p. A-7; Marc BRIÈRE, « L'acte fondateur de la nation - L'établissement d'un nouveau contrat social s'impose », *Le Devoir*, 25 avril 2000, p. A-7. Voir également les vues exprimées à la même époque par Josée LEGAULT, « Quebec needs its own constitution », *The Gazette*, 8 avril 2000, p. B-7.

125. Voir François ROCHER, « Une nouvelle constitution pour le Québec? » dans *L'annuaire du Québec 2003*, Montréal, Fides, 2002, p. 485-488. Voir aussi Marc BRIÈRE, *Point de départ - Essai sur la sécession du Québec*, Montréal, Éditions Hurtubise HMH, 2000, *passim, Le Québec, quel Québec?*, Montréal, Éditions Stanké, 2001, *passim* et *Pour sortir de l'impasse : Un Québec républicain*, Montréal, Les Éditions Varia, 2002, *passim*. Voir aussi les critiques présentées à l'égard du projet de constitution « monarchique » mis de l'avant par Marc Brière et la réplique de ce dernier dans Pierre de BELLEFEUILLE,

Claude G. CHARRON et Gordon LEFEBVRE, « Foin d'une constitution monarchique », *Le Devoir*, 19 mars 2002, p. A-7 et Marc BRIÈRE, « Constitution québécoise – Le foin ou la paille dans l'œil du voisin – Réplique au cercle Gérald Godin », *Le Devoir*, 16 mai 2002, p. A-7. Marc Brière fonde d'ailleurs en 2002 le Mouvement pour une nouvelle constitution du Québec (MONOCOQ) : voir à ce sujet Marc BRIÈRE, « Pour une constitution québécoise républicaine », allocution présentée lors de l'assemblée de fondation du Mouvement pour une nouvelle constitution québécoise, 3 mars 2002, affichée à l'adresse www.vigile.net, Mario CLOUTIER, « Une constitution pour le Québec - L'ancien juge Marc Brière veut fonder un mouvement citoyen non partisan », *Le Devoir*, 21 février 2002, p. A-4; Éric DESROSIERS, « Fondation du Mouvement pour une nouvelle constitution québécoise - Le Québec invité à se doter de sa propre constitution », *Le Devoir*, 4 mars 2002, p. A-7 et Karim BENESSAIEH, « Une constitution québécoise pour " sortir de l'impasse " », *La Presse*, 4 mars 2002, p. A-4.

126. SECRÉTARIAT À LA RÉFORME DES INSTITUTIONS DÉMOCRATIQUES, *Prenez votre place - Cahier de participation*, 2003, p. 19-20. Voir aussi SECRÉTARIAT À LA RÉFORME DES INSTITUTIONS DÉMOCRATIQUES, *Prenez votre place - Cahier de référence*, 2003, p. 43 où l'on définit le terme « constitution ».

127. Voir les résultats affichés à l'adresse http://www.institutions-democratiques.gouv.qc.ca/archives/archives.htm.

128. COMITÉ DIRECTEUR DE LA RÉFORME DES INSTITUTIONS DÉMOCRATIQUES, *Prenez votre place - La participation citoyenne au cœur des institutions démocratiques québécoises - Rapport*, Québec, mars 2003, p. 37. Pour un commentaire des propositions des États généraux sur la question de la constitution du Québec, voir Guy TREMBLAY, « La réforme des institutions démocratiques au Québec : commentaires en marge du rapport du comité directeur », (2003) 44 *Les Cahiers de droit* 207, aux p. 232-233.

129. *Ibid.*

130. Voir à ce sujet les documents de travail affichés sur le site du secrétariat à la réforme des institutions démocratiques à l'adresse http://www.institutions-democratiques.gouv.qc.ca/reforme_institutions/reforme_institutions.htm.

131. Avant-projet de loi – *Loi électorale*, (Dépôt), première session, 37e législature, [2004] (Qué.). Sur l'avant-projet de *Loi électorale*, voir le

document explicatif à l'adresse http://www.institutions-democratiques.gouv.qc.ca/publications/resume_avant_projet_loi.pdf.

132. L'Action démocratique compte dorénavant parmi les formations politiques désireuses de doter le Québec d'une Constitution. On lit dans son dernier programme que : « Le Québec a le pouvoir d'adopter et de modifier sa constitution interne, et par ce biais d'énoncer des éléments de son identité et du fonctionnement de ses institutions. Nombreux sont les Québécois qui nous interpellent depuis une décennie et qui, de toutes familles politiques, expriment le souhait qu'on adopte bientôt une Constitution québécoise. Nous voulons plus de pouvoirs et nous proposons d'en utiliser pleinement les plus importants. Il convient aussi de mentionner les appels pressants en faveur d'une réforme de nos institutions québécoises : réforme du mode de scrutin électoral pour le rendre encore plus démocratique, souple et pour permettre l'expression d'une plus grande variété de courants d'opinions. Réforme pour que les députés voient leur rôle et leur importance accrue au sein de l'Assemblée nationale. Réforme pour donner aux régions une représentation plus forte au sein de l'Assemblée nationale. Ces demandes fort justifiées ont jusqu'à présent généré des haussements d'épaule de la part des vieux partis et ont été remises aux calendes grecques. L'exercice collectif que représentera la rédaction et l'adoption de la Constitution du Québec sera une occasion unique de souder les liens qui nous unissent comme peuple et de bâtir les fondations de la société québécoise sur de nouvelles bases pour l'avenir ». ACTION DÉMOCRATIQUE DU QUÉBEC, *L'ADQ : La voie autonomiste, supra* note 7, p. 14.

133. Il y a lieu de rappeler que lors de son congrès d'orientation tenu quelques semaines avant le déclenchement de la campagne électorale de 2003, le Parti Québécois adopte une résolution en vertu de laquelle il propose d'entreprendre la rédaction d'un projet de loi fondamentale du Québec et des projets de loi de transition vers la souveraineté : voir PARTI QUÉBÉCOIS, *Souveraineté, solidarité, prospérité - Cahiers de résolutions*, Congrès d'orientation 7, 8 et 9 mars 2003, p. 6. Il s'engage quelques jours plus tard à élaborer un plan national de transition vers la souveraineté prévoyant « l'élaboration d'un projet de Constitution transitoire qui serait en vigueur dès l'accession à la souveraineté et jusqu'à l'adoption de la Constitution issue des travaux de la Commission constituante qui serait créée au lendemain de l'accession à la souveraineté » : voir PARTI QUÉBÉCOIS, *Restons forts : Plate-forme électorale 2003*, Montréal, Parti Québécois, 2003, p. 101.

134. Voir les contributions individuelles consacrées à la question d'une constitution du Québec durant la Saison des

idées affichées à l'adresse www.saisondesidees.org, et notamment celles de Pierre CLOUTIER, « République, Pacte social et agenda d'accession à la souveraineté » : Pour une démarche référendaire inédite, souple et efficace», 6 décembre 2003 (www.partiquebecois.org/nv/micro/sdi/textes.php?txt=45) et de Mathieu GAUTHIER-PILOTE, « Re : un projet de pays », 3 mai 2004 (http://www.partiquebecois.org/nv/micro/sdi/forum/read.php?f=3&i=263&t=153#reply_263).

135. Voir Robert LAPLANTE, « Revoir le cadre stratégique », *L'Action nationale*, vol. XCIV, n° 1, janvier 2004, p. 94 et ss.

136. Jacques PARIZEAU, « Un changement de stratégie au PQ? *C'est l'élection qui donnerait au Parti Québécois le mandat de réaliser la souveraineté. Décision en juin 2005* », *La Presse*, 16 août 2004, p. A-10 et 11. Sur le rôle d'un projet de constitution dans le processus d'accession à la souveraineté, voir aussi Pauline MAROIS, « Il faut suivre notre plan de match - Le Parti Québécois aura le mandat de préparer la souveraineté », *Le Devoir*, 21-22 août 2004, p. B-5 et *La Presse*, 21 août 2004, p. A-18.

137. PARTI QUÉBÉCOIS, *Se mobiliser pour le Pays - Rapport du chantier Pays*, Montréal, Service des communications, août 2004, p. 12, recommandation 2.2. Voir aussi les commentaires du chantier Pays sur la proposition Laplante : *id.* p. 20. Pour un commentaire sur cette position, voir Robert PERREAULT, « Refuser de devenir le parti de l'alternance », *Le Devoir*, 21-22 août 2004, p. B-5.

138. PARTI QUÉBÉCOIS, *supra* note 8, p. 12, § 60. Voir également le plan de mobilisation formulé par le président du Parti Québécois Bernard Landry lors du Conseil national le 16 octobre 2004 dont le troisième point est relatif à la constitution et affiché à l'adresse http://www.pq.org/nv/index.php?pq=86&it=516.

139. Voir la première version d'un projet de *Constitution d'un Québec souverain* que j'ai publié dans Daniel TURP, *L'Avant-projet de loi sur la souveraineté : texte annoté*, Cowansville, Les Éditions Yvon Blais, 1995, pp. 183-203 et a été reproduite ultérieurement dans « Un projet de Constitution pour un Québec souverain », *L'Action nationale*, vol. LXXXV, numéro 8, octobre 1995, pp. 52-78 et « Des arguments constitutionnels et un projet de Constitution québécoise », dans M. SARRA-BOURNET (dir.), *Manifeste des intellectuels pour la souveraineté suivi de Douze essais sur l'avenir du Québec*, Montréal, Fides, 1995, pp. 239-284. J'ai également préparé un projet de *Loi fondamentale du Québec* à l'occasion de la mise à jour d'une étude sur le processus d'accession à

la souveraineté que j'avais réalisée pour la Commission parlementaire d'étude des questions afférentes à l'accession du Québec à la souveraineté : voir Daniel TURP, « Le droit à l'autodétermination du Québec et le processus d'accession du Québec à la souveraineté », dans GOUVERNEMENT DU QUÉBEC, *Mises à jour des études originalement préparées pour la Commission parlementaire d'étude des questions afférentes à l'accession du Québec à la souveraineté (1991-1992)*, Volume 3 (Première partie) (Livre 2), mai 2002, pp. 200-224. J'ai également présidé le Comité pour une réflexion et une action stratégique sur la Constitution du Québec institué par le Bloc Québécois dans le cadre de ses chantiers sur la démocratie : voir BLOC QUÉBÉCOIS, *Pour une constitution en partage - Rapport du Comité pour une réflexion et une action stratégique sur la Constitution du Québec*, p. 18 affiché à l'adresse http://www.danielturp.org/constitution-quebec/documents/PQ_constitution.htm et Daniel TURP, « Constitution d'un Québec indépendant : il faut se mettre à la tâche », *La Presse*, 10 février 1999, p. B3; « Une constitution contre son gré ou une Constitution de son choix ? », *Le Devoir*, 17 avril 2000, p. A-7. Voir également la communication et le texte d'un projet de *Constitution initiale du Québec* que j'ai présentés lors du colloque sur les modes d'accession du Québec à l'indépendance lors du conseil régional du Parti Québécois de la Montérégie le 26 août 2004 : Daniel TURP, *Des gestes de souveraineté, une Constitution du Québec et un référendum sur le pays*, affiché à l'adresse http://www.danielturp.org/interventions/2004/26_08_2004_1.pdf. Pour une version sommaire de cette allocution, lire D. TURP, « Le débat sur les modes d'accession du Québec à la souveraineté - L'incontournable référendum - L'adoption d'un projet de constitution du Québec doit compter parmi les gestes qu'un gouvernement du Parti Québécois devra faire au lendemain de sa prise du pouvoir », *Le Devoir*, 27 août 2004, p. A-7. Voir aussi Tommy CHOUINARD, « D'abord la souveraineté parlementaire - Daniel Turp veut faire un pas de plus qu'en 1995, mais un référendum sur la souveraineté reste incontournable à ses yeux », *Le Devoir*, 27 août 2004, p. A-3. Le texte du projet de *Constitution d'un Québec souverain*, du projet de *Loi fondamentale du Québec* et du projet de *Constitution initiale du Québec* ainsi que les écrits que j'ai consacrés à la question d'une constitution pour le Québec sont affichés sur mon site électronique à l'adresse www.danielturp.org/constitution_quebec.

140. Voir Tommy CHOUINARD, « Laisser le peuple décider », 24 février 2005, p. B-1.

[141] La surveillance du prochain référendum québécois sur la souveraineté fait l'objet d'un large consensus : voir LAPLANTE, *supra*, note 135,

p. 27, PARIZEAU, *supra*, note 136, le rapport du Chantier pays, *supra*, note 137, p. 19 et la proposition d'amendement global au programme du Parti Québécois, *supra*, note 8, p. 13. Sur cette question, voir Marie-Pierre BÉRUBÉ, *L'observation internationale du référendum sur la souveraineté politique du Québec*, Rapport de stage, Université d'Ottawa, 14 janvier 2005, 63 p.

142. L'expression « constitution initiale » est utilisée pour affirmer qu'il s'agit du document constitutionnel qui n'a pas de caractère définitif et est destiné à être remplacé. L'expression « constitution initiale » est préférée à celle de « constitution transitoire » qui a été retenue à l'article 24 du projet de *Loi sur l'avenir du Québec* et dans la plate-forme électorale du Parti Québécois en 2003 à celle de « constitution provisoire » privilégiée par Robert Laplante, *supra* note 135 et Jacques Parizeau, *supra* note 136.

143. Voir la *Loi sur l'avenir politique et constitutionnel du Québec*, *supra* note 48, la *Loi sur le processus de détermination sur l'avenir politique et constitutionnel du Québec*, *supra* note 49 et la *Loi sur les droits fondamentaux du Québec*, *supra* note 120.

144. Cette reconnaissance constitutionnelle de la nation québécoise fera fond sur la résolution adoptée par l'Assemblée nationale du Québec le 30 octobre 2003 et dont le texte se lit ainsi : « Que l'Assemblée nationale réaffirme que le peuple québécois forme une nation ». Voir à ce sujet, Robert DUTRISAC, « Le Québec forme une nation, affirme l'Assemblée nationale », *Le Devoir*, 31 octobre 2003, p. A-1.

145. La notion de « communauté anglophone », utilisée dans l'avant-projet de *Loi sur la souveraineté du Québec* et le projet de *Loi sur l'avenir du Québec*, est préférée ici à la notion de « communauté québécoise d'expression anglaise » retenue quant à elle dans la *Charte de la langue française*, la *Loi sur l'avenir politique et constitutionnel du Québec* et la *Loi sur le processus de détermination de l'avenir politique et constitutionnel du Québec*.

146. Cette reconnaissance découle des motions adoptées par l'Assemblée nationale le 20 mars 1985 et le 30 mai 1989 dont le contenu serait en partie enchâssé par l'alinéa 2 de l'article 3 du projet de *Constitution initiale*.

147. La notion de « minorité ethnique » est celle qui est retenue à la fois par l'article 43 de la *Charte des droits et libertés* et le troisième paragraphe du préambule de la *Charte de la langue française*. Je préfère

cette appellation pour référer de façon collective aux personnes issues de l'immigration que la pratique a aussi qualifié de « communautés culturelles » et que l'avant-projet de *Loi électorale* propose de nommer « minorités ethnoculturelles » : voir Avant-projet de loi – *Loi électorale*, (Dépôt), première session, 37e législature, [2004] (Qué.), art. 119.

148. Sur la notion d'État de droit et sa signification dans les constitutions contemporaines, voir Jacques-Yvan MORIN, « L'État de droit : émergence d'un principe du droit international », (1995) 254 *Recueil des cours de l'Académie de droit international* 9, aux p. 120-184.

149. Voir à ce sujet PROGRAMME DES NATIONS UNIES POUR LE DÉVELOPPEMENT, *Rapport mondial sur la développement*, New York, Nations Unies, 2004, p. v., affiché à http://hdr.undp.org/reports/global/2004/francais/.

150. Voir GOUVERNEMENT DU QUÉBEC, *Rapport du Québec sur le développement durable*, Québec, 2003.

151. Voir l'Avant-projet de loi – *Loi sur le développement durable*, (Dépôt), première session, 37e législature, [2004] (Qué.).

152. L'expression « citoyenneté nationale » se veut une synthèse entre les termes « citoyenneté » et « nationalité », qui sont interchangeables et est empruntée à l'article I-10 du projet du projet de *Traité établissant une Constitution pour l'Europe* dont l'alinéa 1 prévoit que « [t]oute personne ayant la nationalité d'un État membre possède la citoyenneté de l'Union. La citoyenneté de l'Union s'ajoute à la *citoyenneté nationale* et en la remplace pas » (*L'italique est de nous*). Sur cette terminologie et sur la question de l'institution d'une nationalité au Québec, voir l'étude du professeur Claude EMMANUELLI, « L'accession du Québec à la souveraineté et la nationalité », dans COMMISSION D'ÉTUDE DES QUESTIONS AFFÉRENTES À L'ACCESSION DU QUÉBEC À LA SOUVERAINETÉ, *Les attributs du Québec souverain, Exposé et études*, volume 1, pp. 61 et ss, et sa mise à jour dans « L'accession du Québec à la souveraineté et la nationalité », GOUVERNEMENT DU QUÉBEC, *La mise à jour des études originalement présentées pour la Commission sur l'avenir politique et constitutionnel du Québec (1990-1991) et pour la Commission parlementaire d'étude des questions afférentes à l'accession du Québec à la souveraineté*, Volume 3, première partie (Livre 1), p. 63 et ss. Voir aussi COMMISSION NATIONALE SUR L'AVENIR DU QUÉBEC, *Rapport*, *supra* note 108, pp. 60-61 et les articles affichés sous la rubrique *Citoyenneté québécoise* sur le site http://www.vigile.net.

153. Voir COMMISSION DES DROITS DE LA PERSONNE ET DES DROITS DE LA JEUNESSE, *supra* note 77.

154. L.R.Q., c. T-16.

155. L.R.Q., c. J-3.

156. Cette loi pourra s'inspirer de la *Loi sur le drapeau et les emblèmes du Québec*, L.R.Q., c. D-12.1 et y intégrer des dispositions relatives à la devise et aux armoiries nationales ainsi qu'à l'hymne national.

157. Voir les développements à ce sujet dans le texte accompagnant la note 56.

158. Le professeur Jacques-Yvan Morin suggère à cet égard que la prolixité n'est guère compatible avec la vocation éducative que l'on peut attendre d'une loi fondamentale : voir *loc. cit. supra*, note 52, à la p. 192.

159. Voir à cet égard les articles 2 à 8, 12, 16, 18 et 23 du projet de *Constitution nationale.*

160. Le préambule du projet de *Loi sur l'avenir du Québec* connaît un très long récit fondateur qui a fait l'objet de critiques très sévères. Voir à cet égard les commentaires de Gilles LABELLE, « Le " préambule " à la " Déclaration de souveraineté " : penser la fondation au-delà de la " matrice théologico-politique " », (1998) 31 *Revue canadienne de science politique* 659.

161. *Projet de loi n° 1, art. 10.*

162. Voir à ce sujet l'étude de Jonathan I. CHARNEY, « The Maritime Boundaries of Québec », dans COMMISSION DES QUESTIONS AFFÉRENTES À L'ACCESSION DU QUÉBEC À LA SOUVERAINETÉ, *Les attributs d'un Québec souverain : exposés et études*, Québec, 1992, volume 1, p. 493-577.

163. Voir à ce sujet la *Loi sur la Commission de la capitale nationale,* L.R.Q., c. 33.1 qui pourrait ainsi être transformée en *Loi sur la capitale nationale.*

164. Voir l'appendice du projet de *Constitution nationale du Québec.*

165. Voir Avant-projet de loi – *Loi sur le développement durable, supra* note 151, (Dépôt), première session, 37e législature, [2004] (Qué.), art. 1.

166. Cette technique permet à la *Charte québécoise des devoirs et droits fondamentaux* de commencer par un article premier et d'avoir une existence matérielle autonome du texte de *la Constitution nationale.*

167. [1984-1989] *Recueil des ententes internationales du Québec* [R.E.I.Q] nº 4, p. 817 [ci-après dénommé le *Pacte sur les droits civils*]. Les paragraphes 1 et 2 de l'article 4 du *Pacte sur les droits civils* se lisent ainsi : 1. Dans le case où ou un danger public exceptionnel menace l'existence de la nation et est proclamé par un acte officiel, les États parties au présent Pacte peuvent prendre, dans la stricte mesure où la situation l'exige, des mesures dérogeant aux obligations prévues dans le présent Pacte, sous réserve que ces mesures ne sont pas incompatibles avec les autres obligations que leur impose le droit international et qu'elles n'entraînent pas une discrimination fondée sur la race, la couleur, le sexe, la langue, la religion ou l'origine sociale.
2. La disposition précédente n'autorise aucune dérogation aux articles 6 [droit à la vie], 7 [interdiction de la torture], 8 (par. 1 et 2) [interdiction de l'esclavage et de la servitude], 11 [interdiction de l'emprisonnement civil], 15 [interdiction de la condamnation à portée rétroactive], 16 [droit à la reconnaissance de la personnalité juridique] et 18 [liberté de pensée, de conscience et de religion].

168. Voir plus précisément les premier, deuxième et troisième alinéas de l'article 2, le premier alinéa de l'article 4, le paragraphe 1° de l'article 13 de la *Charte québécoise des devoirs et droits fondamentaux*. De plus, si l'on veut donner effet à l'alinéa 2 de l'article 27 de la *Convention américaine des droits de l'Homme* à laquelle un Québec souverain devrait devenir partie, il faut également prévoir que l'adoption d'une loi portant atteinte aux garanties juridiques indispensables à la protection des dispositions énumérées dans le présent alinéa n'est pas autorisée.

169. Une innovation additionnelle pourrait être la présentation de la nouvelle charte québécoise à la manière de la *Charte des droits fondamentaux de l'Union européenne qui est* structurée autour de valeurs comme la dignité, la liberté, l'égalité, la solidarité, la citoyenneté et la justice auxquelles pourrait d'ailleurs être ajoutée la laïcité. Pour le texte de cette charte européenne, voir *Journal officiel des Communautés européennes,* 18 décembre 2000, p. C 364/1 et qui est incorporé dans la partie II (art. II-61 à II-114) du projet de *Traité établissant une*

Constitution pour l'Europe, Journal officiel des Communautés européennes, 16 décembre 2004, p. C 310/1.

170. Voir *supra* le texte accompagnant la note 79.

171. Voir à ce sujet les propositions de la Commission des droits de la personne et de la jeunesse relatives aux droits économiques et sociaux, *supra* note 77, pp. 17-23.

172. Voir le texte accompagnant la note 90, *supra.*

173. Cette charte pourrait s'inspirer du projet de loi constitutionnelle relatif à l'inclusion de la *Charte de l'environnement* dans la Constitution française. Ce projet de loi a fait l'objet d'un débat devant l'Assemblée nationale et le Sénat. Ce projet de loi constitutionnelle a été approuvé par les deux Assemblées réunies en Congrès le 28 février 2005. Pour en savoir plus long sur ce projet de loi et lire ses travaux préparatoires, voir les documents affichés à l'adresse http://www.assemblee-nat.fr/12/dossiers/charte_environnement.asp

174. Voir *loc. cit, supra* note 62, p. 220

175. On pourrait envisager de faire coïncider l'entrée en vigueur de la *Constitution nationale du Québec* avec la journée de la sanction de *l'Acte de Québec* qui s'est produite le 22 juin 1774 ou de l'adoption de la *Charte des droits et libertés de la personne* le 27 juin 1975. Une *Journée de la Constitution nationale* précéderait ou suivrait ainsi la journée de la Fête nationale du 24 juin et s'inscrirait alors dans les célébrations nationales au Québec!

BIBLIOGRAPHIE

I - SITES ET DOSSIERS

1. ENCYCLOPÉDIE DE L'AGORA, *Constitution québécoise*, (www.agora.qc.ca/mot.nsf/Dossiers/Constitution_quebecoise).

2. TURP, D., *Pour une Constitution du Québec* (http://www.danielturp.org/constitution-quebec/documents/bibliographie.htm).

3. VIGILE, *Constitution* (www.vigile.net/ds-constitution/index-qc.html).

II - PROJETS DE CONSTITUTION

4. CLOUTIER, Pierre, *Projet de Loi fondamentale du Québec*, dans « République, Pacte social et agenda d'accession à la souveraineté : Pour une démarche référendaire inédite, souffle et efficace », 6 décembre 2003, annexe (http://www.partiquebecois.org/nv/micro/sdi/textes.php?txt=45).

5. LABERGE, Henri, *Projet de loi constitutionnelle du 26 octobre 1992*, dans CEQ-BUREAU NATIONAL, *Pour une approche du référendum dans une perspective de souveraineté populaire : un projet de Loi constitutionnelle du 26 octobre 1992*, avril 1992, 9 p.

6. PARLEMENT ÉTUDIANT DU QUÉBEC, Comité constitutionnel - *Avant-projet de loi - Loi constitutionnelle de 1991*, annexe Constitution du Québec, 43 p.

7. SIMONEAU, J., *Constitution du Québec*, 3 p.

8. TURP, D., *Projet de Constitution d'un Québec souverain*, reproduit dans D. TURP, *L'Avant-projet de loi sur la souveraineté: texte annoté*, Cowansville, Les Éditions Yvon Blais, 1995, p. 183-203, dans « Un projet de Constitution pour un Québec souverain », *L'Action nationale*, vol. LXXXV, numéro 8, octobre 1995, p. 39-94 et dans « Des arguments constitutionnels et un projet de Constitution québécoise », dans M. SARRA-BOURNET

(dir.), *Manifeste des intellectuels pour la souveraineté suivi de Douze essais sur l'avenir du Québec*, Montréal, Fides, 1995, p. 239-284.

9. TURP, D., *Projet de Loi fondamentale du Québec*, reproduit dans « Le droit à l'autodétermination du Québec et le processus d'accession du Québec », dans GOUVERNEMENT DU QUÉBEC, *Mises à jour des études originalement préparées pour la Commission parlementaire d'étude des questions afférentes à l'accession du Québec à la souveraineté (1991-1992)*, Volume 3 (Première partie) (Livre 2), mai 2002, p. 211-224.

10. TURP, D., *Constitution initiale du Québec* (2004), affichée sur le site www.danielturp.org/constitution-quebec.

III - LOIS BRITANNIQUES ET CANADIENNES

11. *Acte de Québec (Acte à l'effet de pourvoir de façon plus efficace au gouvernement de la province de Québec dans l'Amérique du Nord)*, 14 Geo. III, c. 83 (1774), Statutes at large, (1802), vol. XII (1776), p. 184-187, L.R.C. 1985, appendice II, nº 2.

12. *Acte constitutionnel, 1791 (Acte abrogeant certaines parties d'une loi votée la quatorzième année du règne de Sa Majesté, intitulée « Acte à l'effet de pourvoir de façon plus efficace au gouvernement de la province de Québec dans l'Amérique du Nord » et arrêtant de nouvelles dispositions pour le gouvernement de ladite province)*, 31 Geo. III, c. 31 (1791), Statutes at large, (1802), vol. XVI, p. 121-129, L.R.C. 1985, appendice II, nº 3.

13. *Acte d'Union (Acte pour réunir les provinces du Haut et du Bas-Canada, et pour le gouvernement du Canada*, 3-4 Vict., c. 35 (R.-U.), Statutes at large, vol. 15 (1841), p. 359-369, L.R.C. 1985, appendice II, nº 4.

14. *Loi constitutionnelle de 1867,* 30-31 Vict., R.-U. c 3 et L.R.C. 1985, appendice 2 no 5.

15. *Loi constitutionnelle de 1982*, annexe B de la *Loi de 1982 sur le Canada*, 1982, R.-U., c. 11, L.R.C. 1985, appendice II, nº 44.

16. *Canada Act*, 1982, c. 11 (U.K.), L.R.C, 1985, appendice II, nº 44.

17. *Modification constitutionnelle de 1997 (Québec)*, TR/97-141, 22 décembre 1997, (1997) 131 *Gazette officielle du Canada*, partie II, nº 8, p. 1.

IV - LOIS QUÉBÉCOISES

18. *Loi concernant le Conseil législatif.* L.Q. 1968, c. 9.

19. *Charte de la langue française*, L.R.Q., c. C-11.

20. *Charte des droits et libertés de la personne*, L.R.Q., c. C-12.

21. *Loi électorale*, L.R.Q., c. E-3.3.

22. *Loi sur l'accès aux documents des organismes publics et sur la protection des renseignements personnels*, L.R.Q., c. A-2.1.

23. *Loi sur la consultation populaire*, L.R.Q., c. C-64.1.

24. *Loi sur la protection de la jeunesse*, L.R.Q., c. P-34.1.

25. *Loi sur l'Assemblée nationale*, L.R.Q., c. A-23.1.

26. *Loi sur la transparence et l'éthique en matière de lobbyisme*, L.R.Q., c. T-11.011.

27. *Loi sur le drapeau et les emblèmes du Québec*, L.R.Q., c. D-12.1.

28. *Loi sur le protecteur du citoyen*, L.R.Q., c. P-32.

29. *Loi sur les tribunaux judiciaires*, L.R.Q., c. T-16.

30. *Loi sur le vérificateur général*, L.R.Q., c. V-5.01.

31. *Loi sur l'Exécutif*, L.R.Q., c. E-18.

32. *Loi sur l'exercice des droits fondamentaux et des prérogatives du peuple québécois et de l'État du Québec*, L.Q., 2000, c. 46.; L.R.Q., C. E-20.2.

V - DOCUMENTS PARLEMENTAIRES ET GOUVERNEMENTAUX

33. ARCHAMBAULT, J.D., A. BRAËN, J.-P. LACASSE, M. MORIN et D. PROULX, *Pour le déblocage juridique de l'impasse constitutionnelle*, mémoire présenté à la Commission sur l'avenir politique et constitutionnel du Québec, 2 novembre 1990, 6 p., reproduit en partie dans « La Loi sur la primauté des lois », dans Alain-G. GAGNON et Daniel LATOUCHE (dir.), *Allaire, Bélanger, Campeau et les autres - Les Québécois s'interrogent sur leur avenir*, Montréal, Québec-Amérique, 1991, p. 271-272.

34. *Avant-projet de Loi - Loi sur la Souveraineté du Québec*, art. 3 et 14.

35. BLOC QUÉBÉCOIS, *Le pari de la liberté - Mémoire du Bloc Québécois sur le projet de loi nº 99 devant la Commission des institutions de l'Assemblée nationale du Québec*, 14 février 2000, 12 p.

36. COMITÉ SUR LA CONSTITUTION, *Débats de l'Assemblée législative du Québec*, troisième session, 28e législature, 28 novembre 1968 et 4 décembre 1968, p. 545-561 et 563 et 579.

37. COMMISSION DE LA CONSTITUTION, *Débats de l'Assemblée nationale du Québec*, quatrième session, 28e législature, 14 août 1969, p. 3024-3055.

38. COMMISSION DES DROITS DE LA PERSONNE ET DES DROITS DE LA JEUNESSE, *Après 25 ans la Charte québécoise des droits et libertés*, vol. 1 : Bilan et recommandations, 2003, 135 p.

39. COMMISSION DES QUESTIONS AFFÉRENTES À L'ACCESSION DU QUÉBEC À LA SOUVERAINETÉ, *L'élaboration d'une constitution*, Document nº 21, 12 décembre 1991, 10 p.

40. COMMISSION DES QUESTIONS AFFÉRENTES À L'ACCESSION DU QUÉBEC À LA SOUVERAINETÉ, *Projet de rapport*, Québec, 1992, p. 48-52.

41. COMMISSION NATIONALE SUR L'AVENIR DU QUÉBEC, *Rapport*, Québec, 1995, p. 57.

42. COMMISSION SUR L'AVENIR POLITIQUE ET CONSTITUTIONNEL DU QUÉBEC, *Rapport*, Québec, 1991, p. 60-61.

43. DUPLÉ, N., « Une constitution pour fonder l'État du Québec », dans COMMISSION DES QUESTIONS AFFÉRENTES À L'ACCESSION DU QUÉBEC À LA SOUVERAINETÉ, *Les attributs d'un Québec souverain : exposés et études*, Québec, 1992, volume 1, p. 581-595.

44. ÉTATS GÉNÉRAUX SUR LA RÉFORME DES INSTITUTIONS DÉMOCRATIQUES (COMITÉ DIRECTEUR), *La participation citoyenne au cœur des institutions démocratiques québécoises : rapport du comité directeur sur la réforme des institutions démocratiques*, mars 2003, 88 p.

45. GOUVERNEMENT DU QUÉBEC, *Projet de loi sur l'avenir du Québec : réponses aux principales questions de la population*, 1995, p. 10-11.

46. L'ANGLAIS, D., *Mémoire présenté à la Commission de la capitale sur l'avenir du Québec*, 21 février 1995, 5 p.

47. MORIN, J.-Y., « La Constitution d'un Québec souverain », dans COMMISSION DES QUESTIONS AFFÉRENTES À L'ACCESSION DU QUÉBEC À LA SOUVERAINETÉ, *Les attributs d'un Québec souverain : exposés et études*, Québec, 1992, volume 1, p. 597-607, reproduit également dans J.-Y. MORIN et J. WOEHRLING, *Demain le Québec : choix politiques et consti-*

tutionnels d'un pays en devenir, Montréal, Septentrion, 1994, p. 205-214.

48. MOUVEMENT POUR UNE NOUVELLE DÉMOCRATIE QUÉBÉCOISE (MONOCOQ), Mémoire au comité directeur des États généraux portant sur la réforme des institutions démocratiques, 1er novembre 2002.

49. PARIZEAU, J., *Mémoire déposé devant la Commission des institutions qui a pour mandat de mener des consultations générales sur le projet de loi nº 99 - Loi sur l'exercice des droits fondamentaux et des prérogatives du peuple québécois et de l'État du Québec*, mémoire nº 58, 14 p.

50. *Projet de loi nº 1, - Loi sur l'avenir du Québec*, art. 6 à 10 et 24.

51. SECRÉTARIAT À LA RÉFORME DES INSTITUTIONS DÉMOCRATIQUES, *États généraux sur la réforme des institutions démocratiques : 21, 22 et 23 février 2003 : cahier de participation*, 2002, 29 p.

52. SECRÉTARIAT À LA RÉFORME DES INSTITUTIONS DÉMOCRATIQUES, *États généraux sur la réforme des institutions démocratiques : Québec, 21, 22 et 23 février 2003 : cahier de référence*, 2002, 56 p.

53. SECRÉTARIAT À LA RÉFORME DES INSTITUTIONS DÉMOCRATIQUES, *Le pouvoir aux citoyens et aux citoyennes : document de réflexion populaire*, 2002, 38 p.

54. SECRÉTARIAT À LA RÉFORME DES INSTITUTIONS DÉMOCRATIQUES, *Les résultats du scrutin des États généraux* (http://www.institutions-democratiques.gouv.qc.ca/archives/archives.htm)

55. TURP, D., « Exposé-réponse (processus d'accession à la souveraineté) », dans COMMISSION DES QUESTIONS AFFÉRENTES À L'ACCESSION DU QUÉBEC À LA SOUVERAINETÉ, *Les attributs d'un Québec souverain : exposés et études*, volume 1, p. 655-686.

56. TURP, D., *Pour une constitutionnalisation québécoise des droits linguistiques fondamentaux*, Mémoire à la Commission des États généraux sur la situation et l'avenir de la langue française au Québec, 16 mars 2001, http://www.danielturp.org/constitution-quebec/documents/linguistiques.htm.

57. WOEHRLING, J., « Les aspects juridiques de la redéfinition du statut politique et constitutionnel du Québec », dans COMMISSION SUR L'AVENIR POLITIQUE ET CONSTITUTIONNEL DU QUÉBEC, *Éléments d'analyse institutionnelle, juridique et démolinguistique pertinents à la révision du statut politique et constitutionnel du Québec*, Document de travail nº 2, 1991, p. 50-55.

VI - DOCUMENTS ÉMANANT DE PARTIS ET GROUPES POLITIQUES

58. ACTION DÉMOCRATIQUE DU QUÉBEC, *Faire enfin gagner le Québec - Rapport du comité constitutionnel de l'Action démocratique du Québec*, Conseil général, 2 et 3 juin 2001.

59. ACTION DÉMOCRATIQUE DU QUÉBEC, *L'ADQ : la voie autonomiste*, propositions du Ve congrès de l'ADQ tenu les 25 et 26 septembre 2004, 32 p.

60. BLOC QUÉBÉCOIS - FORUM JEUNESSE, *La Constitution d'un Québec souverain : contenu, constituante et référendum*, 20 mars 1994, 15 p. (par Stéphane Éthier).

61. BLOC QUÉBÉCOIS, *Parlons d'avantages*, Direction des communications, Aile parlementaire du Bloc Québécois, 1995, p. 12-13.

62. BLOC QUÉBÉCOIS, *Pour une constitution en partage*, Rapport du Comité pour une réflexion et une action stratégique sur la Constitution du Québec, Montréal, Bloc Québécois, 8 juin 2001, 31 p.

63. BLOC QUÉBÉCOIS, *Résolution sur l'institution d'un Comité de réflexion et d'action stratégique sur la constitution*, Congrès du Bloc Québécois, 30 janvier 2000.

64. ÉTATS GÉNÉRAUX DU CANADA FRANÇAIS, *Assises nationales*, 5 au 9 mars 1969, *passim.*

65. GROUPE RÉFLEXION QUÉBEC, *Un Québec responsable - Rapport du Groupe Réflexion Québec*, reproduit dans *L'Agora*, cahier spécial, novembre 1993, p. 5-7.

66. LE CAMP DU CHANGEMENT, *Le cœur à l'ouvrage*, 1995, p. 72-73.

67. PARTI LIBÉRAL DU QUÉBEC, *Trame et scénario d'un discours référendaire - Forme Discours* - version 5, 16 juin 1982, p. 26-29.

68. PARTI LIBÉRAL DU QUÉBEC, *Un projet pour le Québec – Affirmation, autonomie, leadership, Rapport final,* Comité spécial du Parti libéral du Québec sur l'avenir politique et constitutionnel de la société québécoise, octobre 2001, p. 120-124.

69. PARTI LIBÉRAL DU QUÉBEC, *Un Québec libre de ses choix : rapport de la Commission constitutionnelle (Rapport Allaire)*, 28 janvier 1991, 71 p.

70. PARTI QUÉBÉCOIS, *Cahier de la Commission permanente du programme*, XIVe Congrès national, septembre 1999, *passim.*

71. PARTI QUÉBÉCOIS, *Cahier de propositions*, XIVe congrès national, mai 2000, *passim.*

72. PARTI QUÉBÉCOIS - COMITÉ NATIONAL DES JEUNES, *La Constitution du Québec souverain - Rapport de la chambre constitutionnelle du Comité national des jeunes du Parti Québécois*, Québec, 16 mars 1996 (par M. CLARK, G. CLICHE, S. GAUDREAULT, S. LANOIX et M. SAINT-LOUIS).

73. PARTI QUÉBÉCOIS, *La souveraineté – Des réponses à vos questions*, Service des communications du Parti Québécois, 1995, p. 14.

74. PARTI QUÉBÉCOIS, *La souveraineté - Pourquoi? Comment?*, Service des communications du Parti Québécois, 1990, p. 16.

75. PARTI QUÉBÉCOIS, *Le Québec dans un monde nouveau*, Montréal, VLB, 1994, p. 65-68.

76. PARTI QUÉBÉCOIS, *Programmes* (1968-2000) (extraits).

77. PARTI QUÉBÉCOIS, *Restons forts: Plate-forme électorale 2003*, Montréal, Parti Québécois, 2003, p. 101.

78. PARTI QUÉBÉCOIS, *Souveraineté, solidarité, prospérité : Cahier de propositions*, 2003, congrès d'orientation 7, 8 et 9 mars 2003, Montréal, Parti Québécois, 2003, p. 7-8.

79. PARTI QUÉBÉCOIS, *Souveraineté, solidarité, prospérité : Document d'orientation en vue du congrès de mars 2003*, Montréal, Parti Québécois, 2003, p. 5-6.

80. PARTI QUÉBÉCOIS, *Un projet de pays* (Déclaration de principes - Programme de pays) - Proposition d'amendement global au programme du conseil exécutif national, dans PARTI QUÉBÉCOIS - COMMISSION PERMANENTE DU PROGRAMME, *Cahier d'amendements au programme en vue des congrès des circonscription*, conseil national, 16 et 17 octobre 2004, p. 8-9.

VII - MONOGRAPHIES ET OUVRAGES COLLECTIFS

81. BINETTE, A., *Indépendance et liberté : une vision du Québec souverain*, Montréal, Consultants BRAE, 1996, p. 115-148.

82. BRIÈRE, M., *Pour sortir de l'impasse : Un Québec républicain!*, 2002, Montréal, Varia, 244 p.

83. BROSSARD, J. et D. TURP, *L'accession à la souveraineté et le cas du Québec*, Montréal, P.U.M., 1995, p. 365-373.

84. BRUN, H. et G. TREMBLAY, *Droit constitutionnel*, 4e éd., Cowansville, Éditions Yvon Blais, 2002. p. 222-223.

85 DAIGNEAULT, P.-M., *La constitutionnalisation de la Charte québécoise des droits et libertés de la personne : un projet nécessaire*, Assemblée nationale du Québec, Fondation Charles Bonenfant, 3 février 2004, 38 p.

86 DAIGNEAULT, P.-M., *Une Constitution formelle pour le Québec : mais qu'attendons-nous?*, Québec, Fondation Jean-Charles-Bonenfant, mémoire réalisé dans le cadre du stage parlementaire et déposé auprès de la Fondation Jean-Charles-Bonenfant, juin 2004, 38 p.

87. DUFRESNE, J., *Le courage et la lucidité : essai sur la Constitution du Québec souverain*, Québec, Septentrion, 1990, 189 p.

88. LAFOREST, G., *Pour la liberté d'une société distincte. Parcours d'un intellectuel engagé*, Sainte-Foy, Presses de l'Université Laval, 2004, 352 p.

89. MORIN, J.-Y. et J. WOEHRLING, *Demain le Québec...*, Sillery, Septentrion, 1994, 316 p.

90. MORIN, J.-Y. et J. WOEHRLING, *Les constitutions du Canada et du Québec : du régime français à nos jours*, Montréal, Les Éditions Thémis, 1992, p. 141-144.

92. PAYNE, D., *Pour une constitution du Québec*, 1er projet, mars 1984, 42 p.

93. PAYNE, D., *Pour une constitution du Québec*, 2e projet, novembre 1984, 42 p.

94. SEYMOUR, Michel, *Une nation peut-elle se donner la Constitution de son choix*, Montréal, L'Hexagone, 1999, 206 p.

95. TURP, D., *Avant-projet de loi sur la souveraineté*, Montréal, Éditions Yvon Blais, 1995, p. 35-51.

96. TURP, D., *La nation bâillonnée : le plan B ou l'offensive d'Ottawa contre le Québec*, Montréal, VLB éditeur, p. 155-156.

97. WIKTOR. C.L. et G. TANGUAY, *Les constitutions du Canada (fédérale et provinciales)*, Dobbs Ferry (N.Y.), Oceana Publications Inc., Mai 1985, vol. IV, onglet Québec, *passim*.

VIII - ARTICLES

1) Articles de périodiques et d'ouvrages collectifs

98. BOSSET, P. et M. COUTU, « Étude n° 6. La dynamique juridique de la Charte » dans COMMISSION DES DROITS DE LA PERSONNE ET DES DROITS DE LA JEUNESSE (QUÉBEC), *Après 25 ans la Charte québécoise des droits et libertés*, vol. 2: Études, 2003, p. 251-292.

99. BROSSARD, J., « Constitution », dans « Dictionnaire politique et culturel du Québec », *Liberté*, janvier-février 1967, volume 10, numéro 7, p. 13-17.

100. CALDWELL, G., « Le Québec ne doit pas se donner une Constitution : il en a déjà une qu'il abandonnerait à ses risques et périls », dans M. SEYMOUR (dir.), *Une nation peut-elle se donner la Constitution de son choix?*, Montréal, Bellarmin, 1995, p. 205-213.

101. DAIGNEAULT, P.-M., « Une Constitution formelle pour le Québec : mais qu'attendons-nous? », *Bulletin de la bibliothèque de l'Assemblée nationale*, vol. 35, n° 1-2, avril 2005.

102. DAIGNEAULT, P.-M., « Une Constitution pour le Québec : qu'attendons-nous? », *Combats,* vol. 8, numéros 1 et 2 (automne-hiver 2004-2005), p. 13-15.

103. LABELLE, G., « Le " préambule " à la "Déclaration de souveraineté" : penser la fondation au-delà de la " matrice théologico-

politique " », (1998) 31 *Revue canadienne de science politique* 659-681.

104. MONIÈRE, D., « Le besoin d'une Constitution québécoise », *L'action nationale*, vol. XCV, nº 2, février 2005, p. 30-35..

105. MORIN, J.-Y., « La constitutionnalisation progressive de la Charte des droits et libertés de la personne », (1987) 21 *Revue juridique Thémis* 25-69

106. MORIN, J.-Y., « Pour une nouvelle Constitution du Québec », (1985) 30 *Revue de droit de McGill* 171-220, reproduit également dans J.-Y. MORIN et J. WOEHLRING, *Demain le Québec : choix politiques et constitutionnels d'un pays en devenir*, Montréal, Septentrion, 1994, p. 145-204.

107. ROCHER, F., « Une nouvelle constitution pour le Québec? » dans *L'annuaire du Québec 2003,* Montréal, Fides, 2002, p. 485-488.

108. ROCHER, G., « Des intellectuels à la recherche d'une nation québécoise » dans M. VENNE (dir.) *Penser la nation québécoise*, Montréal, Québec Amérique, 2000, p. 283-297.

109. TREMBLAY, G., « La réforme des institutions démocratiques au Québec : commentaires en marge du rapport du Comité directeur », (2003) 44 *Les Cahiers de Droit* 207-235.

110. TURP, D., « Des arguments constitutionnels et un projet de Constitution québécoise », dans M. SARRA-BOURNET (dir.), *Manifeste des intellectuels pour la souveraineté suivi de Douze essais sur l'avenir du Québec*, Montréal, Fides, 1995, p. 239-284.

111. TURP, D., « Révolution tranquille et évolution constitutionnelle : d'échecs et d'hésitations », dans Y. BÉLANGER, R. COMEAU et C. MÉTIVIER (dir.), *La révolution tranquille 40 ans plus tard : un bilan*, Montréal, VLB éditeur, 2000, p. 63-70.

112. TURP, D., « Un projet de Constitution pour un Québec souverain », *L'Action nationale*, vol. LXXXV, numéro 8, octobre 1995, p. 39-94.

2) Articles de journaux

113. BENESSAIEH, K., « Une constitution québécoise pour " sortir de l'impasse " », *La Presse*, 4 mars 2002, p. A-4.

114. BINETTE, A., « Pour une constitution du Québec », *Le Devoir*, 11 décembre 1992, p. B-8.

115. BONENFANT, J.-C., *La constitution* (Note : série d'articles parus dans *La Presse* et reliés sous forme de brochure), 1976, 29 p.

116. BONENFANT, J.-C., « La Constitution du Québec », *L'Action*, Québec, 25 février 1965, p. 4.

117. BOUCHARD, R., « Les régions contre Québec : une protection contre le despotisme », *Le Devoir*, 17 avril 2000, p. A-7.

118. BRIÈRE, M., « L'acte fondateur de la nation - L'établissement d'un nouveau contrat social s'impose », *Le Devoir*, 25 avril 2000, p. A-7.

119. BRIÈRE, M., « Réponse au Cercle Godin-Miron - Le foin ou la paille dans l'oeil du voisin », *Le Devoir*, 16 mai 2002, p. A-6.

120. BRIÈRE, M., « Des États généraux productifs », *Le Devoir*, 6 mars 2003, p. A-6.

121. BURELLE, A., « Réponse à Jacques-Yvan Morin. Les excès du chartisme. La protection des droits des minorités est trop importante pour relever d'une simple loi ordinaire », *Le Devoir*, 6 juillet 2001, p. A-7.

122. BUZETTI, H., « Le parti lance sa réflexion sur la Constitution », *Le Devoir*, 5 juin 2000, p. A-3.

123. CAZELAIS, N., « Gilles Ritchot – La vision d'un pays - Le rapport Québec-Canada n'est pas juridico-administratif. Il est géographique », *Le Devoir*, 25 avril 2000, p. B-1.

124. CHEVRIER, M., « Au pays des vieux conservateurs - Ou pourquoi le Québec n'a pas de constitution », *Le Devoir*, 10 avril 2000, p. A-7.

125. CHEVRIER, M., « Une constitution pour le peuple québécois - Une constitution serait l'occasion pour le Québec d'affirmer clairement son droit de s'autodéterminer, soit dans un préambule, soit dans des articles liminaires - Ce serait une façon pour lui de se procurer une police d'assurance sur sa liberté politique », *L'Agora*, été 1995, vol. 2, nº 10, p. 13-14.

126. CLOUTIER, M., « Une Constitution pour le Québec - L'ancien juge Marc Brière veut fonder un mouvement citoyen non partisan », *Le Devoir*, 21 février 2002, p. A-4.

127. COMITÉ CONSTITUTIONNEL DE L'ACTION DÉMOCRATIQUE DU QUÉBEC, « L'ADQ propose d'adopter une Charte du Québec - Le Québec s'en trouverait plus uni et nos concitoyens y verraient la source d'une confiance accrue dans nos institutions », *Le Devoir*, 1er juin 2001, p. A-7.

128. CÔTÉ, L., « Développer une mentalité républicaine », *Le Devoir*, 17 janvier 1992, p. B-8.

129. DE BELLEFEUILLE, P., CHARRON, C.-G. et G. LEFEBVRE. « Foin d'une constitution monarchique! », *Le Devoir*, 19 mars 2002, p. A-6.

130. DESCOTEAUX, B. *et al.*, « L'avenir du Québec - 4. Revenir aux raisons fondamentales », *Le Devoir*, 25 mai 2000, p. A-6.

131. DESJARDINS, É., « Fondation du Mouvement pour une nouvelle constitution québécoise - Le Québec invité à se doter de sa propre constitution », *Le Devoir*, 4 mars 2002, p. A-2.

132. DUCHARME, N., FILION, R. et J. VALOIS, « Opter pour une république du Québec », *Le Devoir*, 18 décembre 2001, p. A-7.

133. FISET, J.-M., « Constitution québécoise », *La Presse*, 18 mars 1998, p. B-8.

134. GAGNON, A.-G., « Plaidoyer pour une commission nationale sur la citoyenneté québécoise », *Le Devoir*, 15 juin 2001, p. A-9.

135. HOGAN, J., « Le ministre Facal agit avec diligence - Du projet de loi 99 à une constitution du Québec », *Le Devoir*, 10 avril 2000, p. A-7.

136. LACOMBE, L., « La Constitution québécoise », *La Presse*, 17 février 1999, p. B-2.

137. LEGAULT, J., « Quebec needs its own constitution », *The Gazette*, 8 avril 2000, p. B-7.

138. LESAGE, G., « Bourassa pourrait redonner vie au projet de constitution québécoise », *Le Devoir*, 24 juin 1990, p. 1.

139. MAROIS, P., « Il faut suivre notre plan de match - Le Parti Québécois aura le mandat de préparer la souveraineté », *Le Devoir*, 21-22 août 2004, p. B-5 et *La Presse*, 21 août 2004, p. A-18.

140. MONIÈRE, D., G. BOUTHILLIER, G. LEFEBVRE et A. THIBAULT, « Lettre à Lucien Bouchard : passer de la politique à l'histoire », *Le Devoir*, 22 avril 1999, p. A-6.

141. MONIÈRE, D., P. DE BELLEFEUILLE, C.-G. CHARRON et G. LEFEBVRE, « Assurer l'avenir politique du Québec - Il faut convoquer une assemblée constituante », *Le Devoir*, 3 avril 2000, p. A-7.

142. MORIN, J.-Y., « Comment rédiger une Constitution? Prévoir la transition entre un Québec autonome et un Québec souverain », *Le Devoir*, 1er mai 2000, p. A-7.

143. MORIN, J.-Y., « Une Constitution dans un Québec souverain ou autonome », *Le Devoir*, 25 avril 2000, p. A-7.

144. NADEAU, A.-R., « Symboles et tribunaux », *Le Devoir*, 20 mars 2002, p. A-7.

145. NADEAU, A.-R., « Souveraineté et Constitution », *Le Devoir*, 13 juin 2001, p. A-7.

146. NORMAND, G., « [Gil] Rémillard propose une constitution pour le Québec - de plus en plus isolé, le député André Ouellet jette le discrédit sur la commission Bélanger-Campeau », *La Presse*, 1er décembre 1990, p. F-1.

147. O'NEILL, P., « Dans un Québec souverain - Pour la rédaction d'une constitution - Se fera-t-elle avant ou après un prochain référendum? », *Le Devoir*, 16 octobre 1999, p. A-4.

148. O'NEILL, P., « Discuter de la future constitution du Québec souverain - la direction du PQ imposera le bâillon - Les interdits », *Le Devoir*, 27 janvier 1999, p. A-1.

149. O'NEILL, P., « Élu, le PQ associerait les autochtones à la rédaction de la constitution du Québec souverain », *Le Devoir*, 4 juin 1994, p. A-5.

150. O'NEILL, P., « Gilles Rhéaume devant la Commission de Montréal - La Constitution d'un Québec souverain devrait garantir la liberté de presse », *Le Devoir*, 17 février 1995, p. A-5.

151. PAYNE, D., « Que le Québec se donne une constitution! », *Le Devoir*, 28 février 1984, p. 7-8.

152. PERREAULT, R., « Refuser de devenir le parti de l'alternance », *Le Devoir*, 21-22 août 2004, p. B-5.

153. ROCHER, F. et M. LABELLE, « De la légitimité d'une loi fondamentale québécoise : La citoyenneté québécoise et l'unité canadienne », *Le Devoir*, 20 juin 2001, p. A-7.

154. ROY, J.-L., « Une constitution québécoise? », *Le Devoir*, 28 février 1984, p. 6.

155. ROY, J.-L., BISSONNETTE, L. et G. LESAGE, « Pierre Marc Johnson au Devoir », *Le Devoir*, 27 octobre 1984, p. 11.

156. ROY, P., « [Jacques] Parizeau propose des États généraux, une constitution et un référendum », *La Presse*, 28 juin 1990, p. A-1.

157. SAUVÉ-BOULET, S., « Pour la liberté des citoyens », *Le Devoir*, 10 avril 2000, p. A-7.

158. TROTTIER, É., « Parizeau propose de commencer la rédaction de la future constitution du pays du Québec », *La Presse*, 24 mai 1998, p. A-6.

159. TURP, D., « Constitution d'un futur Québec indépendant : il faut se mettre à la tâche », *La Presse*, 10 février 1999, p. B-3.

160. TURP, D., « Une Constitution contre son gré ou une Constitution de son choix? Le Bloc Québécois s'engage dans une réflexion sur les orientations et le contenu d'une Constitution québécoise », *Le Devoir*, 17 avril 2000, p. A-7.

161. TURP, D., « Le débat sur les modes d'accession du Québec à la souveraineté - L'incontournable référendum - L'adoption d'un projet de constitution du Québec doit compter parmi les gestes qu'un gouvernement du Parti Québécois devra faire au lendemain de sa prise du pouvoir », *Le Devoir*, 27 août 2004, p. A-7.

162. VENNE, M., « L'Avant-projet de loi sur l'avenir du Québec - Cinq questions sur la souveraineté - 3 Nouvelle constitution, mêmes droits : L'avant-projet de loi est muet sur le statut du français et la ratification de la constitution par la population », *Le Devoir*, 9 février 1995, p. A-1.

163. VENNE, M., « Un statut particulier au lieu de la souveraineté? Denis Monière et Guy Bouthillier proposent de tenter une dernière négociation avec le Canada avant le référendum sur la souveraineté », *Le Devoir*, 22 avril 1999, p. A-1.

164. VENNE, M., « Une Constitution pour le Québec? », *Le Devoir*, 3 avril 2000, p. A-1.

165. PC, « La Constitution québécoise selon les jeunes péquistes - Des garanties pour les anglophones – L'accès à l'école anglaise serait limitée pour certains nouveaux arrivants », *Le Soleil*, 9 avril 1996, p. A-7.

166. PC, « Rédigeons la Constitution du Québec maintenant, dit Jacques Parizeau », *Le Droit*, 25 mai 1998, p. 16.

167. PC, « La démarche démocratique de constitution du Québec indépendant : extraits du mémoire présenté par la CEQ à la commission Bélanger-Campeau », *La Presse*, 12 décembre 1990, p. B-3.

168. « Qui peut engendrer une Constitution? », *L'Action-Québec*, 20 mars 1969, reproduit dans ÉTATS GÉNÉRAUX DU CANADA FRANÇAIS, *Assises nationales*, 5 au 9 mars 1969, p. 515-516.

IX - ALLOCUTIONS, LETTRES ET COMMUNIQUÉS

169. BRIÈRE, M., *Lettre à mes concitoyens - Mais qu'attendons-nous?*, Lettre du fondateur du MONOCOQ, 19 janvier 2002.

170. BRIÈRE, M., *Pour une constitution québécoise républicaine*, allocution prononcée à l'assemblée de fondation du Mouvement pour une nouvelle constitution québécoise, 3 mars 2002.

171. BRIÈRE, M., *Pour une nouvelle constitution québécoise*, communiqué du 15 février 2002.

172. BRIÈRE, M., [s.t.], Lettre aux adhérents, 1er juin 2002.

173. BRIÈRE, M., *Vingt ans après la Loi constitutionnelle fédérale de 1982, projet d'une constitution québécoise républicaine*, compte-rendu de l'assemblée tenue le dimanche 21 avril 2002 à Montréal.

174, TURP, D., *Des gestes de souveraineté, une Constitution du Québec et un référendum sur le pays*, Notes pour une allocution à l'occasion du Colloque régional de la Montérégie sur les modes d'accession du Québec à l'indépendance, 26 août 2004, affiché à l'adresse http://www.danielturp.org/interventions/2004/ 26_08_2004_1.pdf.

XI - AUTRES DOCUMENTS

175. *Déclaration d'indépendance du Bas-Canada*, 23 février 1838.

POSTFACE

Nous, peuple du Québec. Voilà un titre bien inspirant pour qui s'intéresse à la question de la constitution du Québec. L'essai de l'auteur sur ce sujet qui a jalonné l'histoire du Québec et qui accompagne toujours sa quête identitaire a plusieurs mérites.

Acte fondateur du *vouloir-vivre* ensemble d'une nation et miroir de ses aspirations collectives, la Constitution participe de façon intégrante à l'identité nationale du peuple qu'elle régit. Au cours des siècles, le droit constitutionnel québécois a évolué et s'est enrichi de façon progressive. Les changements qui marquèrent l'histoire constitutionnelle québécoise furent d'abord l'œuvre des métropoles française et britannique, puis celle des constituants canadien et québécois. La perspective historique adoptée par l'auteur situe le projet de doter le Québec d'une Constitution dans l'histoire nationale et permet ainsi de rappeler à l'ensemble des Québécoises et Québécois que la nation québécoise existe bien en tant qu'entité politique, juridique et culturelle depuis déjà plusieurs siècles.

Bien que les règles régissant l'organisation et le fonctionnement de l'État québécois soient nombreuses, celles-ci sont éparses et n'ont jamais été consignées dans un document formellement constitutionnel. Qui désire connaître ces règles doit donc d'abord effectuer un travail de recherche d'importance. Le projet de *Constitution initiale* du Québec présenté par l'auteur a d'abord pour mérite de rassembler dans un même texte formel l'ensemble des dispositions constitutionnelles et quasi-constitutionnelles et ainsi de rendre plus facilement accessibles et visibles pour tous les citoyens et citoyennes du Québec les normes fondamentales et les valeurs sur lesquelles repose l'État québécois. Cette démarche contribuera à renforcer leur sentiment d'appartenance à la nation québécoise.

Outre ses mérites d'ordres historique et identitaire, c'est relativement au débat sur le statut politique du Québec que la réflexion de l'auteur est la plus stimulante et enrichissante. Dans la marche du Québec vers son accession au statut d'État souverain, l'auteur distingue nettement deux phases dans le processus d'élaboration d'une Constitution québécoise: l'adoption d'une *Constitution initiale*, puis celle d'une *Constitution nationale*, la première visant l'acquis constitutionnel et la seconde, un renouveau constitutionnel. Cette distinction nous semble salutaire dans la mesure où elle a pour effet de reporter les débats relatifs à une profonde rénovation de l'ordre constitutionnel québécois à un moment postérieur à la tenue d'un référendum sur la souveraineté. L'on évite ainsi que de potentielles dissensions sur ce que devront être la structure et le fonctionnement constitutionnels d'un futur Québec souverain empêchent certains d'adhérer à son changement de statut. Il est également de la toute première importance que les parlementaires de tous les partis politiques et l'ensemble des acteurs de la société civile participent avec enthousiasme à l'élaboration de la Constitution nationale, chose qui pourrait s'avérer plus problématique si ce processus était lié à celui, plus controversé, d'accession du Québec au statut d'État souverain.

Le projet de *Constitution initiale* présenté par l'auteur, outre le fait qu'il rassemble dans un seul document l'ensemble des normes et valeurs sur lesquelles sont fondées la nation québécoise et vise à leur conférer un statut constitutionnel, prévoit la présentation à l'Assemblée nationale d'une série de lois fondamentales dont l'adoption permettra aux institutions québécoises d'exercer pleinement et immédiatement la souveraineté dès sa proclamation par l'Assemblée nationale. Ce projet de *Constitution initiale* occupera sans doute une place de choix au cours de la période précédant la tenue d'un référendum sur la souveraineté, en instruisant les citoyennes et citoyens québécois sur les gestes de souveraineté qui seront posés aux lendemains de l'élection d'un gouvernement du Parti québécois.

L'auteur, dans son projet de *Constitution nationale*, propose un renouveau constitutionnel quant à certains aspects majeurs de l'organisation et du fonctionnement des institutions québécoises, de même qu'en ce qui a trait aux devoirs et droits fondamentaux présentement enchâssés dans la *Charte des droits et libertés de la personne*. Plusieurs de ses propositions sont intéressantes et pourront constituer une base commune de réflexion et de discussion dans le cadre des travaux menés par l'Assemblée constituante, laquelle sera chargée de rédiger la *Constitution nationale du Québec*. Certaines d'entre elles reflètent bien les valeurs de tolérance et d'ouverture qui caractérisent le peuple québécois.

Le Québec dispose d'une constitution depuis plusieurs siècles. Cette constitution porte les empreintes des statuts colonial puis provincial qui furent les siens. Le temps est venu de définir ensemble, dans le respect de son héritage passé, ce qu'est le Québec d'aujourd'hui et ce qu'il veut être dans le futur, dans la plénitude des éléments constitutifs d'un véritable pays. L'essai de l'auteur contribue de façon importante à cette emballante entreprise.

Eugénie Brouillet
Professeure
Faculté de droit
Université Laval

REMERCIEMENTS

Cet essai sur la constitution du Québec est le résultat de plusieurs années de réflexion et d'échanges sur un thème dont on mesurera l'importance en faisant la lecture du présent essai. Pendant ces années de réflexion, deux constitutionnalistes m'ont inspiré. Mon collègue de l'Université de Montréal et ancien vice-premier ministre du Québec, Jacques-Yvan Morin – à qui l'on doit plusieurs travaux sur la constitution du Québec – est celui dont je suis fier de continuer l'œuvre. Je veux exprimer toute ma reconnaissance au professeur Henri Brun, de l'Université Laval, que je remercie d'avoir lu et annoté l'ébauche d'un document qui est à l'origine de mon projet de *Constitution nationale du Québec*.

J'exprime ma gratitude à deux personnalités politiques qui ont également manifesté un intérêt pour ce travail de réflexion sur la constitution du Québec et qui ont l'ambition, comme moi, de doter un Québec souverain de sa propre constitution. Jacques Parizeau a étudié minutieusement mes projets de constitutions du Québec pendant l'été 2004 et a fait plusieurs suggestions qui ont contribué à enrichir ma réflexion et à améliorer ce projet. Bernard Landry a démontré un grand intérêt pour mes travaux et j'ai apprécié les discussions avec lui relativement au rôle que devrait jouer la constitution dans le processus d'accession du Québec à la souveraineté.

Je tiens à remercier Pierre-Marc Daigneault qui m'a aidé à rendre la bibliographie du présent essai aussi complète que systématique, Nicolas Auclair qui a lu et commenté mes projets de constitutions et Alexandre Cloutier qui s'est toujours intéressé à mes travaux.

Mes attachés politiques Éric Normandeau et Pierre-Luc Paquette ont joué un rôle déterminant dans la rédaction du manuscrit et je les remercie du fond du cœur d'avoir contribué à la réussite de ce projet d'écriture. Mon attachée politique Renée-Chantal Bélinga et ma conseillère politique Mélanie Malenfant m'ont également permis de mener à terme ce projet tout en m'acquittant de mes autres responsabilités de député et parlementaire. Ghislaine Brunelle a procédé, avec la rigueur qui la caractérise, à la révision du manuscrit et je lui dois un livre si respectueux de notre langue et de ses règles.

Au préfacier Gilles Duceppe, je dis un grand merci d'avoir bien voulu lire le manuscrit et de croire qu'une constitution du Québec compte parmi les instruments pour imaginer le Québec souverain. Et je suis reconnaissant à la constitutionnaliste et postfacière Eugénie Brouillet, de l'Université Laval, qui a jeté un regard neuf et critique sur mon essai politique.

Des Éditions du Québécois, je remercie Patrick Bourgeois qui a cru en ce projet. Je suis redevable à Simon Nolet pour la conception et le montage de la belle couverture.

Je remercie ma fille Catherine pour la photographie de couverture, mon garçon Nicolas pour ses observations amusantes et ma conjointe Bartha pour le précieux conseil d'inclure dans la *Charte québécoise des devoirs et droits fondamentaux* une disposition sur la liberté académique.

TABLE DES MATIÈRES

TROISIÈME BROUILLON DU PROJET DE LOI DE L'*ACTE DE QUÉBEC*, 1774

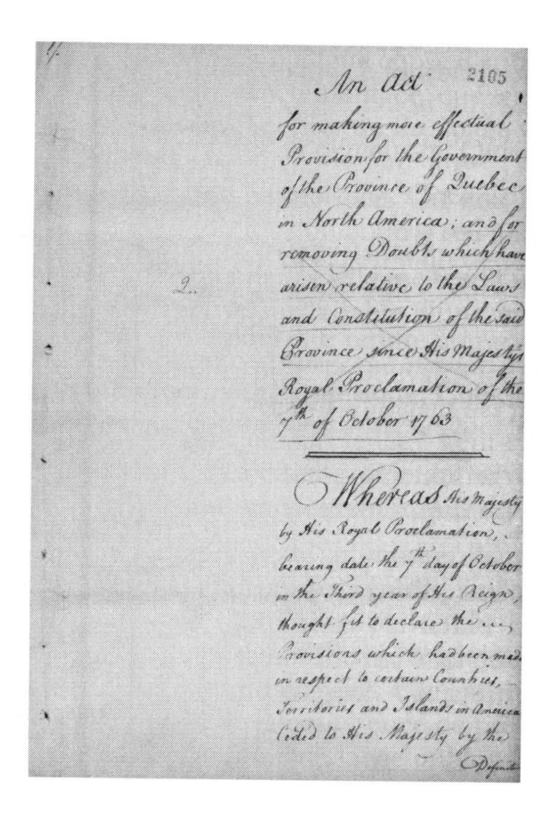

2105

An Act

for making more effectual Provision for the Government of the Province of Quebec in North America; and for removing Doubts which have arisen relative to the Laws and Constitution of the said Province since His Majesty's Royal Proclamation of the 7th of October 1763

Whereas His Majesty by His Royal Proclamation, bearing date the 7th day of October in the Third year of His Reign, thought fit to declare the ... Provisions which had been made in respect to certain Countries, Territories and Islands in America Ceded to His Majesty by the Definit

Source : Bibliothèques et Archives Canada
Référence : BAC, MG 23 A 1, vol. 2, p. 2105, négatif C-14661

CATALOGUE DES ÉDITIONS DU QUÉBÉCOIS

OUI!, je veux recevoir _____ exemplaire(s) du recueil PAROLES DE QUÉBÉCOIS au prix de 19,95$ chacun (+ 4,55$ frais postaux).

Total de la commande :___________$

Nom : ___________________________

Prénom : _________________________

Adresse : ___________________________
____

Ville : ___________________________

Code postal : ____________________

Tél.: (   )________________Courriel : _________________

Retournez votre chèque libellé au nom des Éditions du Québécois à l'adresse suivante :

Éditions du Québécois
2572, Des Plaines,
Québec (Sainte-Foy), Québec
G1V 1B3

Pour information : (418) 651-9493
www.lequebecois.org

Le recueil Paroles de Québécois regroupe les textes les plus significatifs tirés du journal Le Québécois 2001-2002, dont les textes exclusifs de Jacques Parizeau, Pierre Falardeau, Yves Michaud, René Boulanger, Marcel Tessier et plusieurs autres...

Québec, Canada
2005